JN247444

THE STORIES OF THE KOSOADO WOODS

ユメミザクラの木の下で

岡田 淳

理論社

もくじ

まず、スキッパーの話
ふしぎなこどもたち

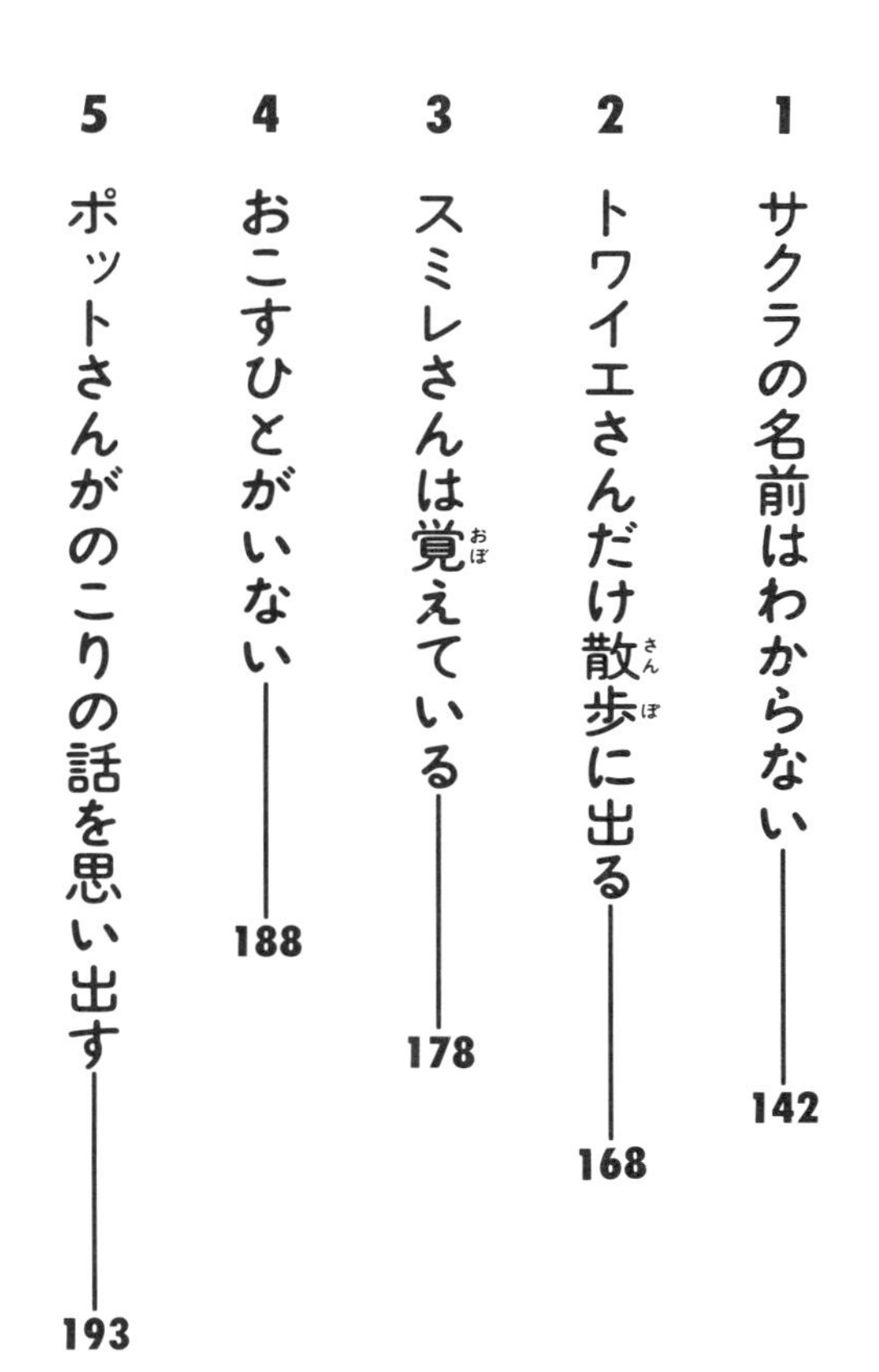

そして、おとなたちの話

ユメミザクラの木の下で

絵✲岡田　淳

スキッパー

ウニをのせた船のような形の家はウニマルとよばれている。いっしょにすんでいる博物学者のバーバさんは旅にでることがおおいので、ほとんどひとりでくらしている。

湖の巻貝の家にすんでいる。たのしいこと、おもしろいことが大好きで、自分たちの名前も、気分にあわせて かえてしまう。

ふたご

トワイエさん

作家。アイデアに つまると散歩にでかける。

すんでいるのは、木の上の屋根裏部屋。これは、あるあらしで、どこかからとんできたのが ひっかかったもの。

はたらきものの、なかのいい夫婦。湯わかしの家にすんでいる。もてなし好きで、家には十二人もがすわれるテーブルがある。

ポットさんとトマトさん

こそあどの森にすむひとたち

丘のふもとにうまったガラスびんの家にすむ姉と弟。

スミレさん と ギーコさん

スミレさんは詩やハーブが好き。弟のギーコさんは大工さん。

まず、スキッパーの話

ふしぎなこどもたち

1 かくれんぼは、わくわくするか

ウニマルの広間のテーブルで、スキッパーはバーバさんからきた手紙を読んでいました。

スキッパー、元気ですか? わたしは元気です。この手紙がとどくころ、こそあどの森では、春の花が咲きだしていることでしょう。

ツララ岬はまだまだ冬です。コオリイタチの観察のためにやってきて、もうふた月になります。それなのに、まだいっぴきのコオリイタチもみつけられません。

でも、だいじょうぶ。きょう足あとをみたのです。それも新しい足あとを。

きっともうすぐ姿をみつけることができるでしょう。かくれんぼをしていることどものように、わたしはわくわくしています。

そういうわけで、こそあどの森にもどるのは、もうすこし先になるようです。

ではまた。あなたのことを思い出しながら。

ツララ岬、ミゾレ荘別館にて

三月二十二日　バーバより

読みおわったスキッパーは、すこし首をかしげました。

「かくれんぼをしているこどものように、わたしはわくわくしています」

そこだけ、もういちど読んでみました。

バーバさんがコオリイタチをみつけられそうでわくわくしている、それはわかります。でも、それがかくれんぼをしているこどものようだと書いてあるのが、わからなかったのです。こどもはかくれんぼをするとわくわくするのでしょうか。

スキッパーは、かくれんぼというものを、したことがなかったのです。

なにしろバーバさんと、ほとんどふたりきりですごしてきました。バーバさんは博物学者でいつもいそがしくしています。いそがしいあいまにスキッパーにいろんなことを教えてくれました。ことば、文字、数、そして本を読んだり絵をかいたりするたのしさ、散歩のよろこび、草花や虫、動物、石や貝のおもしろさ、雲や星のふしぎ、もっともっといろんなことも教えてくれました。けれど、かくれんぼをいっしょにするということはありませんでした。

したことがなくても、かくれんぼがどういうものか、スキッパーはしっています。ウニマルの書斎の本棚にあった『絵で見る・こどもの遊び』という本にのっていたからです。そこにはスキッパーがしたことのないたくさんの遊びが、絵と文で説明されていました。でも、どれもおもしろそうには思えませんでした。かくれんぼもです。ただかくれて、別のひとがそれをみつけるというだけのことなのです。どこがおもしろいのでしょう。わくわくする？　わかりません。

スキッパーは首をふりふり、手紙を封筒にしまいました。

そのつぎの日、つづきの本を読もうと書斎にいったときのことです。本棚のすみにあった『絵で見る・こどもの遊び』が目にとまりました。前に読んでから、ずっと思い出すことのなかったこの本が気になったのは、バーバさんの手紙のせいでしょう。

本の背表紙をながめていると、

絵で見る

――もういちどきちんと読めば、かくれんぼのわくわくがわかるかもしれない。という気がしてきました。

前に読んだときにはわからなかったのにこんどはわかる、ということはときどきあります。『絵で見る・こどもの遊び』を、ひさしぶりに本棚から抜き出しました。〈かくれんぼ〉のページをあけると、そうそう、この絵だ、この絵だ、と思いました。絵の場面は街角か庭先かよくわかりませんが、四人のこどもたちがいます。ひとりが木の幹にむかって目をかくし、あとの三人がしげみと箱とへいのうしろにかくれているところです。

「うーん」

しばらくながめてから、スキッパーは首をひねりました。絵が悪いのかみかたが悪いのか、どうも四人がわくわくしているようにはみえないのです。

文を読んでみることにしました。

【かくれんぼ】

家のなかでも野外でも遊べる。いくつもの変化させた遊びかたがあるが、代表的なものは、つぎのとおりである。

まず、ジャンケンなどで、オニの役を決める。オニが目をかくしているあいだに、ほかの子はかくれる。オニは「もういいかい」と、となえる。ほかの子は、まだかくれていなければ「まだだよ」、かくれていれば「もういいよ」と、となえかえす。「まだだよ」の場合、オニはすこし待ってから「もういいかい」をくりかえす。「もういいよ」の声をきいてから、オニはかくれた子をさがしはじめる。みつけたときは「みつけた」と、となえる。みつけることができないときは「こうさん」あるいは「まいった」と、となえる。その声をきけば、かくれていた子は姿をあらわさなければならない。

新しいオニの役は、みつけられた子のなかから、あらためて決める。

やはりわくわくはわかりませんでした。それよりも、前に読(よ)んだときのことを、スキッパーは思い出(だ)してしまいました。

そこを最初(さいしょ)に読(よ)んだとき、同(おな)じテーブルでバーバさんは仕事(しごと)をしていました。標本用(ひょうほんよう)の小さなラベルに、小さな文字(もじ)を書きこんでいたのです。〈かくれんぼ〉の説明(せつめい)を読(よ)んだスキッパーは、となえる、ということばがよくわかりませんでした。そこでたずねました。

「かくれんぼで、『もういいかい』と、となえるって、どういうこと?」

バーバさんは手を休めないでこたえました。

「ふしをつけていうこと」

「どんなふし?」

重(かさ)ねてスキッパーがたずねると、バーバさんは手をとめ、すこしじっとしたあとペンをおき、ウニマルにほかにだれもいないのをたしかめるようにまわりをみ、そのあととなえてくれました。

「もォいィかァい」

スキッパーはびっくりぎょうてんしました。ふだんのバーバさんのしゃべりかたとまるでちがう、すっとんきょうないいかただったからです。そのあと「まァだァだよォ」「もォいィよォ」「みィつけた」とつづき、ひときわ大きな声で「こォさァん」と「まいったァ」をしてくれました。

「こんなふし」

そういってバーバさんはペンをとり、ラベルにむかいました。すこし顔が赤くなっていました。きっとはずかしかったんだ、とスキッパーは思いました。というのは、ただきいていただけのスキッパーでさえ、はずかしかったからです。

――なんてへんてこりんな遊びなんだろう。こんなはずかしい思いをするんだったら、ぼくはかくれんぼなんてしたくないな。

そのときスキッパーは、そう思ったものです。

そしていまも、あのときと同じ気持ちになりました。そこで、肩をすくめてつぶ

やきました。

「かくれんぼのわくわくなんて、わからなくてもいいや。それってきっと、特別なひとたちにしかわからないんだ。それからぼくは、きっと特別なひとじゃないんだ」

かくれんぼのことなんてどうでもいいと思ったのに、いったん思い出してしまったバーバさんの「もォいいィかァい」とか「みィつけた」などは、スキッパーの頭のなかで、すっかり目をさましてしまいました。冬眠からさめたヤマネのように、生活のあちこちでちらちらと顔を出すようになったのです。

やかんのお湯がもうわいたかなと思ったら、頭のなかで「もォいいィかァい」といっていいます。いったんそういってしまうと、わいていれば「もォいいィよォ」、わいていなければ「まァだァだよォ」といわないわけにはいきません。

缶切りをどこかにおき忘れて、それがどうしてもみつけられないときなど、「こォさァん」と「まいったァ」が頭のなかで鳴りひびきっぱなしでした。缶切りが、

地下室の倉庫の棚、アスパラガスの缶づめのうしろにころがっているのをみつけたときなど、声に出して
「みィつけた！」
と、叫んでしまったほどです。叫んでしまったあとで、かくれんぼって、やってみれば、すこしくらいはおもしろいものかもしれないなという気がしました。

2

ウサギ広場でみつけたのは、ウサギだったか

そんなある日のことです。

スキッパーはいつものように、昼食のあとの散歩に出かけました。その日は腰かけ石の川辺までいくことにしました。

腰かけ石の川辺は、トワイエさんの家の前を通って湖に流れこむ川の、ほぼ、湖とトワイエさんの家の中間にあります。なかなかすてきな川辺で、スキッパーのお気に入りの場所のひとつです。その川辺の景色をたのしむのにちょうどいい場所に、腰をかけてくださいといっているような形の石があるので、スキッパーがこの名前をつけたのです。

どの季節の散歩にも、それぞれのおもしろさがあって、スキッパーはそれぞれに好きです。

春のはじめの散歩のいいところは、まず、重いコートを着たり長ぐつをはいたりしないで歩けるということです。冬よりもからだがかるくなったようで、思わず鼻歌が出てしまいます。

「フフンフン、雪が消え」

あんなにたくさんつもっていた雪はもう、あちらにひとかたまり、こちらにすこし、とのこっているだけです。

「フフンフン、草がのび」

枯れた落ち葉や枯草のあいだから、まず黄緑や赤っぽい芽がのぞき、それが日ごとに緑をまし、のびてひろがっていきます。

「フフンフン、花が咲く」

小さな花が、白や青、黄色のビーズ玉をまいたように咲いています。

「フフンフン、フン?」

スキッパーはたちどまります。いいにおいがしたのです。どこだろう? この甘いにおいは……。ああ、ありました。ニオイスミレです。紫色の花がひとかたまり、ハート型の葉にかこまれて首をのばしています。きのうもここを通ったのに、気がつきませんでした。

ニオイスミレをしばらくながめて、また歩き出そうとすると、ふいに小さなけものがしげみからとび出し、木の幹をかけのぼりました。リスのようです。枝から枝へとび移り、どこかへいってしまいました。リスの動きを追って木をみあげたスキッパーの口が半びらきになり、つぶやき声が出ます。

「冬とちがう……」

木の枝の感じがちがいました。

「かたかったのが、やわらかくなってる……」

葉を落としてくっきりとしていた枝の形が、やわらかいりんかくになっているようにみえます。

「芽が出てるんだ」

小さい芽がいっぱい出ているせいでやわらかくみえるのです。スキッパーはなぜだか笑ってしまいます。

このように、歩いているだけで鼻歌が出たり、ひとりごとをいってみたり、笑顔

になったりするのが、春のはじめの散歩というものです。

森のなかでスキッパーは足をとめました。あとすこしで腰かけ石の川辺というあたりです。ウサギ広場のことを思い出したのです。ちょうどそのあたりで道をそれると、ウサギ広場に出るのでした。ウサギ広場もスキッパーがつけた名前です。そこでなんどか野ウサギをみたことがあるので、そう名づけました。こそあどの森には、木がとぎれてひらけた草地、つまり広場になっているところがいくつかあります。スキッパーがしっているそういう広場のなかで、ウサギ広場がとくに好きなのは、まんなかに一本の木があるというところです。夏など、この木の張り出した根にすわってひと休みすると、木陰を風が通り抜けて、とてもいい気持ちです。

春のウサギ広場はどんなようすでしょう。スキッパーは、よっていくことにしました。

木立ちのなかを歩いていくと、むこうのほうにちらちらと広場がみえてきました。

葉の多い林のなかからみえる明るい広場は、まるでかがやいているようです。こういうふうにみえてくるのってすてきだな、とスキッパーはにっこりしました。

一歩広場にふみ出しただけで、もう空気がちがいました。

「うわあ……」

スキッパーは思わず声に出してしまいました。

頭の上にはなにもありません。春のやわらかい青空、そして陽の光。白い花がいっぱいです。草の緑にはいきおいがあります。鳥のさえずりも空にぬけていきます。

白い花の草地に出ていきました。まんなかの木は冬に葉を落とす木です。太い幹から四方八方に広がる枝、そしてわかれていく細い枝々の、いたるところに黄緑の芽がふきでて、全体がけむったようにみえます。スキッパーは木をみあげて、もういちど、

「うわあ……」

と、いってしまいました。

木に近づいたとき、幹のむこう側にちらりとうす茶色のものがかくれたのが、目にとまりました。ウサギだ！と思ったら、声が出ていました。

「みィつけた！」

そして幹のむこう側へそっとまわろうと腰を低くしたときのことです。相手がすっと出てきました。ウサギではありません。うす茶色のワンピースの女の子でした。思ってもみなかったできごとに、腰を低くしたままスキッパーは動けず、口をぱくぱくさせるばかりでした。

みたことのない子です。スキッパーと同じくらいの年かっこうにみえます。

女の子はスキッパーをみて、ふっと笑うと、肩をすくめていいました。

「みつかっちゃった」

ようやく低くしていた腰をのばしたスキッパーの口から出たことばは、

「いや、その、あの……」

でした。スキッパーにしてみれば、その子をみつけたので、「みィつけた」といっ

たわけではなかったのです。そのことを説明しなければと思うのですが、うまくことばが出てきません。セーターのすそをひっぱりながら、やっとの思いで、こういいました。

「ウ、ウサギだと思って……」

「え?」女の子は首をかしげました。「ウサギだと思った?」

「そ、そう、ウサギだと思った」

「ウサギだと思って、みィつけたって、いったの?」

「そう、ウサギだと思って……」

そこでスキッパーは、うっとつまりました。ウサギにむかって「みィつけた」なんて、ふつういいません。でもありがたいことに、女の子はそのことをそれ以上たずねず、にこっと笑いました。

「じゃ、あたし、ウサギでいい」

「え?」こんどはスキッパーが首をひねりました。「ウサギで……、いい?」

「そう、あたしのことは、ウサギってよぶの」

「ウサギって……よぶ？」

「そう。あなたのことは」女の子はスキッパーを足から頭まで、とりわけ髪型をよくみてからいいました。「……ハリネズミってよぶから」

「ハリ……」

それは前にどこかでだれかにいわれたような気がしました。

「いや？」

いや？とたずねられて、まだ胸のどきどきがつづいていたスキッパーは、思わずこたえてしまいました。

「いやじゃないけど……」

「じゃ、決まった」女の子は、いいえウサギは、にっこりうなずきました。「ハリネズミはいま、なにをしてたの？」

じっさいによばれてみると、やれやれハリネズミか、と思ってしまいました。でも、もうしかたがありません。スキッパーはぼそっとこたえました。

「散歩」

こたえてから、スキッパーの胸にいろんな疑問や考えが浮かびました。

——じゃあこの女の子は、ウサギはなにをしていたんだろう。

——いやそれよりも、いったいこの子はどこの子なんだろう。どうしてここにいるんだろう。それに、ぼくのことをどこのだれだとひとこともたずねないのはなぜだろう……。

——あ、きっとだれかの家に遊びにきていて、ぼくのことは教えられてたんじゃないかな。きっとそうだ。たしかめてみよう。

けれどそれをたずねる前に、ウサギがいいました。

「あたし、花をつんでたの。ほら」

いままで気がつかなかったのは、からだのうしろにかくれていたからでしょう。

ウサギがさしだした手には、ビー玉くらいの大きさの白い花が、束になっていました。

「かんむりをつくるの。もうすこし集めなきゃ」

そういってしゃがむと、同じ種類の花をつみはじめました。その花はたくさん咲いていたのです。

スキッパーは、すこしおどろいていました。花でかんむりをつくるときいたからです。花のかんむりは『絵で見る・こどもの遊び』にのっていたのでしっていますが、ほんとうにつくるひとがいるとは思えなかったのです。

けれど、いまここに花のかんむりをつくるというウサギがあらわれました。

——どうやってつくるんだろう。

つくりかたは本にのっているのでしっていたはずなのに、ほんものをみたことがなかったので、そう思いました。

花のつみとりかたもみのがさないように、スキッパーはウサギのとなりにしゃがみました。ウサギはちらっとスキッパーに目をあわせ、あわせた目だけで笑いかけると、白い花を二つ三つ、つみました。

たのまれたわけではありませんが、スキッパーも足もとの花を一本、ウサギがしていたように茎を長くつみとりました。茎が切れるときに、クンッという感じがしました。たっていたときよりも強く草のにおいがします。

とつぜんスキッパーは思い出しました。この花の名前です。

「ユキダマシ！」

思い出したいきおいで、きゅうに強くいってしまったことに、スキッパーは自分でもびっくりしてしまいました。ウサギのほうはもっとびっくりしました。ふたりはおたがいにおどろきあって、まるくした目をみあわせ、つぎに笑い出してしまいました。

「なんなの？」

「この花の名前。ユキダマシ」

「ユキダマソウ、じゃないの？」

「ほんとうはユキダマシらしいんだ。図鑑にのっていた説明ではね」

「ユキダマシ？」

「ユキダマシ。マメ科」

「マメカ？」

「マメの仲間ってこと。雪が消えるころに咲く花がね、また雪がふったのかって思わせるからユキダマシって名前なんだって。ユキダマソウとよぶところもあるけど、それはユキダマシがまちがってつたえられたのか、雪の玉のような花の色と形からそういわれているのか、よくわからないって説明には書いてあった」

ウサギは感心してスキッパーをみました。

「ハリネズミって、かしこいんだ。そんなことすらすらっていえるひと、あたし、しらないよ」

「……ちょっとおぼえていただけだよ」

スキッパーはなんだかはずかしくなって、まわりの花をつみはじめました。すると、説明に書いてあったことをもうひとつ思い出しました。

「それからね、この花と葉は、ウサギが好んで食べるんだって」

「あたしは食べないよ」

そこでふたりはもういちど笑いあいました。

スキッパーがつんだ花をウサギにあげたので、かんむりをつくるのにじゅうぶんの花が集まりました。

太い幹から張り出した根のひとつに腰かけると、ウサギはスカートのひざの上に白い花を全部おきました。そして花をとっては、編んでいきました。しょっちゅうつくっているのか、とてもなれた手の動きです。みるまに花は、しっかりとした太さのひもに編まれていきました。

ふいに顔をあげたウサギは、自分の手もとにみとれているスキッパーに気がつきました。

「したことないの?」

スキッパーはうなずきました。

「してみる？」

え？　いいのかな、でも、できるかな、などと心のなかで返事を考えているうちに、ウサギはもう編みかたを教えはじめていました。

「いい？　花をおさえて、茎をまわしてそろえるの。これだけ。かんたんでしょ。もういちどするね。こうして、こう。さあ、そこにすわって」

顔でしめされた根に、ウサギとむかいあうようにスキッパーがすわると、編みかけの花のひもと、新しい一本の花を手渡されました。

「さあ、やってみて」

「こ、こうかな」

「あ、そうじゃなくて、花のこちらがわに」ウサギが手をそえて、茎のまわしかたをなおしてくれました。「そうそう、それでいいの」

いちどだけまちがったあとは、ウサギがするように流れるような手の動きではありませんが、思ったよりかんたんに編めました。ウサギが手渡してくれる花が、ど

こうして
こう

んどん編みこまれていきます。スキッパーは夢中になってしまいました。

最後のしあげの輪にするところは、ウサギがやりました。

「できた」

ウサギがいいました。

「できた」

スキッパーもいいました。スキッパーは、そろえた手のひらの上に花のかんむりをおいて、ながめました。あのたよりない茎と花が、あんなにかんたんな編みかたで、こんなにかっちりした輪になるなんて魔法のようです。手のひらに、ふしぎな重みを感じます。

「あたし、いかなきゃ」

とつぜんのウサギのことばに、スキッパーはおどろきました。

「あ、じゃ、これ」

てのひらにのせていたかんむりを、ウサギに渡そうとしました。

「それは、ハリネズミの」

笑いながらウサギはたちあがりました。もうすぐにもいってしまいそうでした。

あわててスキッパーもたちあがっていいました。

「ウサギに、あげる」

ウサギ、とよんだのはこれがはじめてでした。ウサギはにこっと笑うと、すこしかがんでスキッパーに頭をさし出しました。スキッパーは、花のかんむりをかぶせました。

「ありがとう」

頭をあげてみせた一瞬の笑顔をのこして、ウサギはかけ出しました。

白い花のかんむりがその笑顔に似合ってる、とスキッパーが思ったときには、ウサギはもう広場をかけぬけて、むこうの木立ちのなかにはいってしまうところでした。木と木のあいだにうす茶のワンピースがちらちらとみえて、すぐに消えました。

花のかんむりのつくりかたを教えてくれてありがとうとか、またねとかいえばよかったかなと、みえなくなってから思いました。

ウサギ広場がきゅうに静かになりました。

鳥の声が遠くでのどかにきこえます。足もとにはユキダマシがいっぱい咲いています。まわりの木立ちの上には春の青空――。

スキッパーはふいに、いままでここにウサギがいたことが、うそのように思えてきました。

3

腰（こし）かけ石（いし）の川辺（かわべ）で、なにがあったか

スキッパーは、腰かけ石の川辺へいくことにしました。広場から木立ちにはいると、すっとまわりが暗くなり、別の世界にはいりこんだような気がします。いえ、別の世界からもとの世界にもどってきたような気がする、といったほうがいいかもしれません。ウサギといっしょにいた時間は、なんだかほんとうのような気がしないのですから。

もとの道のつづきを進むと、すぐにかすかな水の音がきこえてきました。

ヨヨヨヨヨ……

音がだんだんはっきりしてきて、むこうのほうに明るい光がみえはじめます。うす暗い森のトンネルをくぐりぬけて、もうひとつの別の世界に出る、という感じです。

明るい川辺に出ると、目の前にわずかな段差の滝があります。水の音はここから出ているのです。近くでは、ロヨロヨロヨ……ときこえます。のぞきこむと、川底の砂が透明な水のなかで踊っています。

砂地をすこしだけ下流にいくと、そこが腰かけ石の川辺です。

スキッパーは、まわりをみまわしました。広すぎず、深すぎない流れも、むこう岸の大きな木も、もうすこし下流の、流れから顔を出している大小の石も、なにもかもいつものとおりです。

なにもかもいつものとおり、それはほっとすることです。とくに、しらない子にとつぜん会ったりしたあとには。

スキッパーは、腰かけ石にすわりました。陽の光をあびてあたたまっている石も、いつものすわりごこちです。

むこう岸の大きな木は、太い枝を川のなかほどまで張り出していて、しげった葉が川に影を落としています。木にはロープのようなつるが何本もたれさがっていて、スキッパーは、サルがこのつるにぶらさがって遊んでいるのをみたことがあります。

みたことがあるといえば、スキッパーが両手をひろげたくらいに大きい魚を、ここでみました。湖からのぼってきたのかもしれません。

いつみても、ここの水は澄んでいます。といっても、流れがにごるような大雨のあとは、スキッパーは散歩にはこないのですけれど。

流れの水面はたえず形を変え、反射する陽の光と木の影がキラキラ、ウネウネとまざりあい、それをじっとみているとふしぎな気分になってきます。キラキラ、ウネウネに、水の音のロヨロロヨがはいりこんできます。スキッパーはゆっくり目をとじ、水の音だけたのしんでみます。

ずっと同じ音のようですが、こうしてきいているとだれかのつぶやきのように思えてきたりするのです。

スキッパーの耳がぴくりと動きました。

水の音が、ないしょ話をしている声のようにきこえたのです。こんなきこえかたははじめてです。もっとよくきこうと、目はとじたまま耳をすましました。すると何人かのささやき声はもう、水の音にしかきこえなくなりました。

またきこえるようになるかもしれない。

なおも耳をすましていると、とつぜんはっきりした声がきこえました。

「ハリネズミ、みィつけた！」

思わず目をあけて、おどろきました。いつのまにのぼったのでしょう。むこう岸からななめに張り出した太い枝に、四人もいたのです。三人がすわっていてひとりがたっています。たって太い幹に背をもたせかけているのはウサギでした。花のかんむりをつけています。ほかの三人は、もちろんはじめてみる子でした。二人が男の子でひとりが女の子です。男の子のひとりははだしで、もうひとりはズボンつりをしています。ピンクのリボンをつけた女の子だけが、ほかの子よりも年が下のようにみえます。そして四人全員が、スキッパーをみて、親しそうに笑っているのです。

スキッパーは、ただどぎまぎしてじっと石にすわっているばかりでした。

きょうまでにスキッパーが会ったことのあるこどもは、たったふたりです。そのふたりというのはふたごで、スキッパーには見分けがつきません。ですから、自分のほかには一種類のこどもしかしらない、といってもいいくらいです。それがいちどに四人もあらわれたのです。もうどうすればいいのかわからず、目ばかりぱちぱちさせて、四人をみていました。が、きゅうに、なにかいわなければならないという気がしてきました。

スキッパーはぎごちない笑顔を四人にみせて、いいました。

「み、みつかっちゃった……」

四人は、はじかれたように笑い出しました。スキッパーにも笑いのわけはわかります。みィつけた、からずいぶん時間がたって、みつかっちゃったといったせいです。スキッパーにもそれはおかしくて、いっしょになって笑ってしまいました。

「こっちにこいよ」

はだしの男の子があたりまえのようによびました。スキッパーは声につられてたちあがりました。が、どうすればむこう岸へいけるのかわかりません。

「石を渡っておいでよ」

ウサギがすこし下流の、流れからつき出たいくつもの石を指さしました。

――石を渡る！

スキッパーはこれまでに何度もここにきています。でも、むこう岸へいってみたいとは思いませんでした。ながめをたのしみ、音をきき、空想にふけることで、じゅうぶんにおもしろいのですから。

――そうか、石を渡ってむこうへいけるんだ。

すこし下流にいって、流れの石をみました。これまでは景色だと思ってみていました。けれどいま、それで川を渡ると思うと、みえかたが全然ちがいました。

――まずこの石に足をかけ、ああいって、こういって……、あの大きめの石でひと休みして……。でも、だいじょうぶかな。もしも足をすべらせて、流れに落ちたら……。

まずこの石に……
ああいって
こういって
ひと休み
それっ
ひょい
はっ
ほっ
それっ

ちらっとウサギをみると、さあおいでよ、という目で顔を動かしてみせました。

――ウサギがいまむこうにいるってことは、きっと石を渡っていったんだ。ウサギが渡ったのなら……。

スキッパーは、ぐっと口をひきしめました。

最初の石に足をかけました。その足に体重をかけてしまうと、あとは足がかってに動きました。ひょい、ひょいっととび移って、大きめの石のひと休みをしていました。もう川の上です。胸がどきどきしています。

つぎの石に足をかけます。それっ、ひょい、はっ、ほっ、それっ……。

最後は両足をそろえて、ぴょんとむこう岸の地面に着地しました。うまくいきました。

――やってみると、案外かんたんだったな。

心のなかで、そうつぶやきました。でも、まだ胸はどきどきしています。ふりかえると、いつもスキッパーのいる岸が、しらないところのようにみえました。

草をふみわけて、四人がのぼっている木のほうへ近づいていくと、みんなは思ったより高いところにいました。ウサギが木の裏側を指でしめしています。

「むこう側からのほうがのぼりやすいよ」

──そうだ、今度は木にのぼるんだ。

ごくりとつばをのみこみました。スキッパーは木にのぼったことがなかったのです。

木の反対側にまわってみると、太い幹に別の木がはりついています。そのはりついた木や幹のこぶが、手や足をかけるのにつごうがよさそうです。木がむこうのほうへぐっと傾いているのも、のぼりやすそうにみえます。

「おっ、サカナだ」

「どこ？　どこ？」

「ほら……」

はだしの子たちの声をききながら、スキッパーはのぼりはじめました。はじめての木登りなのに、どんどんのぼれます。すぐに最初の枝のところまでいけました。それはみんながいる高さです。幹に手をかけてその枝にたつと、すぐ右にウサギがいて、にこっと笑ってくれました。笑いかえしたスキッパーは下をみて、ぎくっとしました。ま下はもう川でした。それに、さっきみあげたときよりも、もっと高くまでのぼっているような気がします。からだの奥がきゅっとなりました。幹にかけていないほうの手が、目の前にぶらさがっているつるを、思わずにぎっていました。つるはじょうぶで、しっかりしていて、すこし安心できます。

みんなは川のサカナをみているようです。いました。二匹のサカナがゆっくり上流にむかって、ひれを動かしています。

「あれより大きいのを釣ったことがあるぜ」

はだしの子がそういってみんなの顔をふりかえり、スキッパーをみて、ぱちんと指を鳴らしました。

「ああ、そうか！　そいつはおもしろいぞ」

「なにがそうかなの？」

リボンの子がたずねるのにこたえず、はだしの子は枝の上にたちあがりました。

「なにがおもしろいぞなの？」

リボンの子が枝からたらした足をぶらぶらさせながら、重ねてたずねます。はだしの子は両手をひろげてバランスをとりながら、太い枝を先のほうへ進んでいきました。

「みてりゃ、わかるって」

太い枝ですが、はだしの子が足を出すたびに、スキッパーの足もとまでゆれがつたわってきます。

枝は川のなかほどでぐっと上にむかってのびていて、そこから先は進めません。はだしの子は、そのゆきどまりのところで、輪のような形にぶらさがっているつるを両手にとって、ぐいぐいとひっぱりました。それをみて、リボンの子が叫びました。

「わかった！　ブランコ！　ブランコね！　そうでしょ!?」

はだしの子はふりかえって、うれしそうな顔でうなずきました。

「あたり！」

そして輪になったところにまず片足をかけ、ゆっくり力をかけて、つるの強さをたしかめてみました。

――ブランコだって？

スキッパーは、いよいよからだの奥をきゅっとさせながら、みていました。ブランコは、『絵で見る・子どもの遊び』でしっているのです。でも、もしもつるが切れたら……。

「だいじょうぶ？」

ウサギがたずねました。

「だいじょうぶ」

こたえたのはズボンつりの子でした。スキッパーはこの子の声をはじめてききました。ズボンつりの子はスキッパーの横にずっとすわったままみていたのです。

だいじょうぶといわれて安心したように、はだしの子はつるに両足をかけて、ゆっくりと前後にゆらしはじめました。

「ブランコ、ブランコ」

リボンの子は、自分がそれに乗っているようにからだをゆらしました。

「むこうのつる、とってこれる？」

ズボンつりの子がはだしの子に声をかけました。

「とれる、とれる。かんたん、かんたん、かんたん」

はだしの子はいきおいをつけてつるをゆすると、もっと先にある長いつるをつかんで、もとの枝にもどってきました。リボンの子がたずねます。

「それ、どうするの？」

――このつるでむこう岸に、いこうとしているんじゃ……。

思いついた考えに、スキッパーは自分でぞくっとしました。

ズボンつりの子は、枝の先までいって、長いつるをはだしの子からうけとり、スキッパーのところまでもどってきました。

「ビューンだよ。な」

はだしの子が、かわりにこたえました。

「むこうへいくの？」

ズボンつりの子は、ぐいぐいつるをひっぱって、強さをたしかめています。ずずっとつるがのびて、ぴんと張りました。

「むこうへいくのね？　そうでしょ？　そうでしょ⁉」

リボンの子は期待に目を大きくしています。

「だいじょうぶ？」

ウサギの声は前より心配そうです。

――だいじょうぶじゃない！

スキッパーは心のなかで叫びました。考えるだけでからだがすくみます。

「落ちても浅い川さ」

ズボンつりの子がちらっとウサギをみます。ウサギは首をすくめます。

「やってよ、やってよ」

枝にすわったままのリボンの子が、うれしそうにからだをゆらします。よくいうなあと、スキッパーは横目でみました。

ズボンつりの子はつるを両手でつかんで、枝の上で体重をかけながら、ぴょんぴょんとびあがりました。ほんとうにやるつもりです。はずみをつけたあと、両足が空中で、こぶのようになったところをぎゅっとはさみました。

——あ、あ、あ……！

ズボンつりの子は、大きなふりこになっていました。いちばん低くなったところで水にはまるかと思ったら、すうっと浮きあがり、むこうで一瞬からだがとまったところで、つるから手と足をはなしました。そして砂地の上に落ちてころがり、こちらをみて、へへと笑ってみせました。

「すごい！　やったね！」

最初に叫んだのはスキッパーでした。

「やったあ」

「じょうず」

つづいて叫んだウサギとリボンの子が、拍手をしたので、スキッパーもしました。

四つほど手をたたいて、枝の上でどこにもつかまらずにたっていることに気づいて、
あわててつるにつかまりました。

――なんてすごい。こんなことができるなんて。

スキッパーは自分がしたみたいに息をはずませてしまいました。

「つぎはあたしがする」

ウサギのことばにスキッパーはおどろきました。

「なんだ。つぎはおれがとぼうと思ってたのに」

はだしの子は、そういいながらも、ブランコでとってきた長いつるをウサギのと

ころまで持ってきてくれました。スキッパーの目の前でウサギにつるを渡すとき、スキッパーと目をあわせ、笑顔でうなずきました。

「じゃ、おれはハリネズミのつぎ、な」

いや、あの、といいかけたときには、はだしの子はブランコのほうへいっていました。

——えええ？　こ、これを、ぼくが、するの？

でも、それをウサギがするといっているのです。

——ウサギがするのをぼくがしないというのも……。いや、ウサギがするからといって、ぼくがしなきゃっていうのも……。いや、それにしても……。えええ？

胸のどきどきが大きくなってきます。

と、ウサギがふわっと川にとび出しました。ぐうんと浮きあがって、スカートをひるがえらせて、ころばずに砂地にたち、そのひょうしに頭から花のかんむりがずれ落ちるのを、片手でとめさえしました。

「す、すごい！　じょうず!!」

スキッパーは、また叫んでしまいました。

「やるなあ」

「やった！　やった！」

ほかの子も声をあげました。

はだしの子がブランコでつるをとってきます。

そしてスキッパーのところまで持ってきてくれます。

「ほらよ」

「う、うん」

もうこれはやらないわけにはいきません。スキッパーは両手につるをにぎり、呼吸をととのえました。そして自分にいいきかせました。

——まずこぶのようなところに足をかけて、つるをはさみこむようにする。それからしっかりつるをにぎって、しがみついて……。それから。むこう岸でからだが

とまったときに、手と足をはなす……。よし。

大きく息をすって、息をとめて、腰を沈めて、さあ、とびあがるようにつるにしがみつこう。さあ、とびあがるようにつるに……。さあ、ぴょんとつるに……。さあ、つるに……。さあ……。ためらっているうちに息が苦しくなって、ふうと力が抜けてしまいました。

むこう岸でウサギとズボンつりの子が、おや？という目でみています。はだしの子が、いけよ、と笑顔で頭をかたむけています。とばないわけにはいかないのです。

——わかった。いく。いくよ。

呼吸をととのえます。

——まず、こぶのようなところに……。それからしっかりつるを……。それからむこう岸でからだが……。よし。

大きく息をすいました。息をとめました。腰を沈めて……、とびあがりました。

——ひゃあーっ！

……ズザザッ。なにがどうなったのかわからないうちに、スキッパーは落ちてころがっていました。砂の上です。

「じょうず、じょうず」

ウサギが手をたたいています。

「とべた！　とべた！」

「やったね！」

——え？　ぼく、できたの？

スキッパーは、信じられない気分でたちあがりました。とべたのです。

——できたんだ！　できたんだ！

顔が笑えてきて、こまります。

——やった！　やった！　すごいことができたぞ！　すごいことができたぞ！

ほんとうはぴょんぴょんとびはねたい気分でした。でも、これくらい平気さ、という顔をしたいのもほんとうです。

はだしの子がとぶと、四人は石を渡って、
もういちどとぶことにしました。

「ブランコ、するよ」

ズボンつりの子がいちばんに木にのぼって、
枝の先へいきました。

二度目は、スキッパーは、
さっきよりも風を感じてとびました。
水面がわあっと近づいて、
髪の毛がびゅうっとなびきました。

四人がとぶと、また石を渡ってもどります。

「こんどは、ぼくが、ブランコするね」

ぴょんと石をとびうつりながら、
スキッパーは、いきおいよくいいました。

ブランコの役は、つるで川をとぶのとはちがうどきどきがありました。川の上でずっとゆれているのは、みょうにたよりない気分なのです。

リボンの子は「すごい！」とか「やった！」とかいって、ずっとみているだけでしたが、だれも無理にとばそうとはしませんでした。リボンの子も、それでじゅうぶんたのしそうでした。

四度、五度、いったいなんどとんだでしょうか。ただつるにぶらさがって川を越す、それだけのことなのに、なんどやってもおもしろいのです。息をのんだり、笑いあったり、声をあげたりが、ずっとつづきました。

そしてなんどめか、スキッパーが最初にとんで、ほかの子がまだ枝にいたときのことです。

ふとスキッパーは腰かけ石のことをみんなに教えてあげたくなりました。そこで腰かけ石に腰をかけ、むこう岸にむかっていいました。

「ねえ、この石ね……」

そこまでいったとき、はだしの子がスキッパーの話をさえぎるように手をあげました。

「あ、ごめん。おれたち、いかなきゃ」

――え？

つぎにとぼうとしていたズボンつりの子がちらっとスキッパーをみて、悪いな、というふうに笑ってみせ、つるをはなして、木のむこう側からおりていきます。リボンの子も、はだしの子もつづきます。まだ枝の上にのこっているウサギに、スキッパーは叫ぶようにたずねました。

「いかなきゃって、どこへいくの？　だいたいきみたちって、どこからきたの？」

ウサギは少し笑っていいました。

「どうして気にするの？　そんなこと」

そんなこと、といわれてスキッパーは、一瞬足もとの砂をみました。すぐに顔をあげたつもりです。でも枝の上にはもうウサギの姿はなく、長いつるだけが川の上で、ゆうらゆうらとゆれていました。

4

夢(ゆめ)なのか、夢(ゆめ)でないのか

スキッパーには、ウサギがぱっと消えたように思えました。ぱっと消えたのでなければ、目をそらせた一瞬に、太い幹のむこう側にとびおりたにちがいありません。でも、それからあと、ウサギもほかの子もすこしも姿がみえないのです。

——いかなくちゃ、なんていって、ほんとは木のうしろにかくれてるんじゃないのかな。

スキッパーは、もうすっかりなれた足どりで石を渡って、むこう岸へいきました。木のうしろにも、そこからみわたせる森の奥にも、だれの姿もありませんでした。なんだかはぐらかされたような気分でした。

スキッパーはすこし口をとがらせて、木と川をながめました。

——ひとりでとんでやろう。

木にのぼり、ブランコで長いつるをとり、ひとりで川を越えました。とびおりるとき、はじめてころばずにたつことができました。けれど、なにかものたりない気分でした。

もういちど腰かけ石にすわりました。にぎやかだった川辺は、水の音だけです。

こうしてすわって水の音をきいていると、ささやき声がきこえて、四人があらわれたのです。さっきと同じように目をとじてみました。

ロヨロヨロヨロヨロヨ……

水の音は水の音のままです。ゆっくり目をあけてみても、午後の陽の光が川の水にきらきらと反射しているだけです。スキッパーには、あの四人の子がここにいたことが、信じられなくなりました。

それはウサギ広場でウサギがいなくなったときと同じ気分でした。

「夢だったんだろうか、どちらも」

声に出してつぶやくと、ほんとうに夢のように思えてきました。でも夢だったら、スキッパーが眠っていたことになります。眠っていた？　どこで？

——待てよ。

スキッパーは腕を組みました。

——あの四人が出てきたのは、ぼくがこの石にすわっていたときで……、消えたのも、ぼくがこの石にすわっていたときだ。

この発見に、思わずたちあがりました。では、ウサギ広場はどうだったでしょう。

——木の下で出会ったんだ。それから……、木の下でわかれたんだ！

つまり、ウサギ広場では木の下で、この川辺では腰かけ石の上で、つい眠ってしまって夢をみたのではないか、スキッパーはそう考えたのです。

——そうだとすると、そうだとすると……

腰かけ石のまわりをゆっくり歩いたりたちどまったりしながら、もっと考えてみました。

——はじめて会ったのにウサギやほかの子が、ぼくのことをどこのだれだかたずねないっていうのも、夢だからじゃないか。

——そうだよ。会ったとたんに、友だちみたいだもの。

——いくら春になったといっても、はだしなんて寒すぎるしね。

――それに、どこからきて、どこへいくのかってたずねたら、こたえたくないようだったぞ。……そうか、夢か。なんてヘンな夢なんだろ。でも、夢なら、とつぜんいなくなってもしかたがないや。

そうだったんだと思いながら、スキッパーはもういちど腰かけ石にすわりなおしました。

そしていつものように景色をみたり、空想したりしようとしました。

でも、うまくいきません。この川辺は、さっきの夢があまりにも変わっていたので、四人のことばかり思い出してしまうのです。

――やれやれ。

ぶるっと頭をふって、たちあがりました。もう帰ろうかと思いました。が、ふと流れの石が目にとまりました。石を渡れば、むこうへいけます。むこう岸の奥にひろがる森は、いったことがない場所です。

――気分を変えるために、ちょっと新しいところへいってみようか。

スキッパーは、すこし探険してみることにしました。流れの石を渡るとき、夢のなかで渡れるようになったんだと思うと、みょうな気分でした。

むこう岸に渡ると、うす暗い森でした。足元は、ひざぐらいまでの高さの、細い葉のしげみがつづいています。かまわず進んでいきました。

ややのぼりになっていたのがくだりになったとたん、景色が変わりました。明るい林に出たのです。

――へえー。

すこし足をとめて、春のはじめの午後の林をながめました。

木と木のあいだが広く、みとおしのいい林です。背が高い木、幹が太い木、細い木、そのほとんどがすっとまっすぐにたっています。どれも冬には葉を落とす木で、あたりには陽の光がいっぱいにさしこんでいます。木の影が、枯葉におおわれた地面を、しまもようにしています。

――なんだか、すてきなところだ。

スキッパーはゆっくり林のなかにはいっていきました。すこし沈みこむくつの下で、枯葉や細い枝がかわいた音をたてます。それがおもしろくて、しばらく足音だけをききながら歩きました。

横をみながら歩いてみると、まっすぐの木が多いので、木と木の重なりようがちらちらと変化してみえます。上をみながら歩くと、木の角度が順に変わっていくようです。

枯葉だけの地面だったのが、やがてこちらにひとかたまり、あちらにひとかたまりと、スキッパーの背たけほどのしげみがみえはじめました。

――あ。

光を浴びて、木が一本、ごろんところがっていました。ずいぶん前からそこにあるらしく、木の皮は落ちて、白っぽくなっています。

それにすわってみました。

静かです。
高い空を通りすぎる風が、
こずえの上のほうだけゆらしてかるい音をたてます。
音はむこうのほうからやってきて
反対のほうへうつっていきます。
　スキッパーは目をとじて、音をききます。
何種類もの鳥の声がきこえます。
　ピーキュルチュクルチュクルピーキュルチュクルと、
ひっきりなしにさえずる鳥。
　クイーッ、クイーッ、鳴き声のおしまいのところをあげて、
なにかをたずねているような鳥。
　ピキ、クイッ、クイッ。ピーピキ、クイックイックイッ。
二羽でしゃべりあっている鳥。

「ハリネズミ、みィつけた」

ハリネズミ、みィつけた？

ウサギの声です！　また夢がはじまったのです。

目をあけると、ウサギは同じ木にならんですわっていました。もうひとりいます。新しい子がそのむこうにならんで腰をおろしていて、その子が首をまげるようにして、スキッパーをみていました。めがねをかけた男の子です。この子も、前からスキッパーのことをしっている友だちのように、にっこりとうなずきました。スキッパーもうなずきかえそうとしたとき、

「谷の底、声ひびく」

めがねの子は、だしぬけにいいました。ウサギとスキッパーは、きょとんとして顔をみあわせました。ここは谷の底でもなければ、だれの声もひびいてはいないのです。

「ククルクと、鳥が鳴き」

めがねの子はつづけました。スキッパーは空をみあげ、耳をすましてみました。そんな鳴きかたの鳥はいません。

「それ、なあに？　詩？」

ウサギがたずねると、めがねの子は笑いながら首を左右にふり、こういえばわかるだろうという調子でゆっくりとくりかえしました。

「ハリネズミ、みィつけた
谷の底、声ひびく
ククルクと、鳥が鳴き」

「あ！　わかった。ちょっと待ってね」

ウサギがうれしそうにいいました。スキッパーには全然わかりません。

「木の下で、……木の下で……」ウサギはまゆをよせて考えこみました。「で、で、……であいます！」

「うまい、うまい」

めがねの子がほめ、ウサギがとくいそうな顔をして、自分で拍手しました。
木の下で出会うなんて、ぼくとウサギのことみたいだな、と思いながらスキッパーは、〈木の下で……、で、で、……であいます〉といういいかたにひっかかりました。あ、そうかな!と思いました。もうこたえが出ているような気がします。それをたしかめたい、そうスキッパーがのぞんだのがわかったみたいに、めがねの子とウサギが最初からくりかえしました。

「ハリネズミ、みィつけた
谷の底、声ひびく
ククルクと、鳥が鳴き
木の下で、であいます」

まちがいありません。奇妙なしりとりをしているのです。おそらくめがねの子が、〈ハリネズミ、みィつけた〉をきいて思いついたにちがいありません。
「こんなしりとりがあるって、しらなかった」

「あたしもしらなかった」

スキッパーとウサギがいうと、めがねの子ははずかしそうに笑いました。

「ぼ、ぼくが、その、思いついたんだ。よくひとりでね、頭のなかで、そう、頭のなかで、やってたんだけどね、うん。だれかにいったのって、きょうがはじめて」

こんな遊びを頭のなかでやっていたなんて。スキッパーは感心してしまいました。

ウサギがもういちどはじめました。

「ハリネズミ、みィつけた
谷の底、声ひびく」

めがねの子も声をあわせました。

「ククルクと、鳥が鳴き
木の下で、であいます」

もういちど、なるほどなあと思ったあと、スキッパーは、ええ？　とうろたえました。めがねの子とウサギが、にこにことスキッパーをみていたのです。それはあきらかに、つぎはスキッパーのばんだといっているのです。

「わ、わかった。わかったから、ちょ、ちょっと待ってね」

〈す〉です。〈す〉ではじまることば……。スキッパーということばがまず浮かびました。

――スキッパー。待てよ。パーの場合、つぎはパーではじまるのかな。それとも、アではじまるのかな。ややこしいのはよそう。す、す、ス……スミレさん！　ん！　こりゃだめだ。す、す……。

めがねの子とウサギは、にこにことスキッパーをみています。

「ちょ、ちょっと待ってね」

スキッパーはもういちどいって、こんどは目をとじて考えることにしました。

――す、す、……すれちがい。すれちがい？　まあ、いいか。すれちがい、い、い、……いつのまに。いつのまに？　いつのまに。すれちがい、いつのまに。よし、これでいこう。

ぎゅっととじていた目をぱっとあけると、ころがった木にすわっているのは、スキッパーひとりきりでした。

「すれちがい、いつのまに」

スキッパーは低い声でつぶやきました。そして大きなためいきをつきました。

――せっかく思いついたのにな……。

もういちどためいきをついて、ひざの上で頭をかかえました。

ウサギたちが出てきてくれるとたのしい、それはまちがいありません。でも夢が終わってウサギたちがいなくなったあと、からっぽの気持ちになるのがいやでした。

――いったい、どういうわけで、きょうにかぎって、こんなにヘンな夢をつづけてみるんだろう。

頭をかかえて、足もとの落ち葉をみるともなくみているスキッパーの耳に、遠くから枯葉や細い枝をふむ音がきこえてくるような気が……、いいえ、たしかにきこえます。

——きた！　また夢がはじまる！

音のほうをみようかとも思いました。けれど、このままの姿勢でじっと待つことにしました。足もとの、丸まった枯葉をじっとみたまま……。

「どうしてこんなところにすわってるの？　スキッパー」

「どうして頭をかかえているの？　スキッパー」

ウサギの声よりも高いふたつの声におどろいて顔をあげると、ふたごの女の子でした。スキッパーがすぐにこたえられないでいると、ふたごはかってに思いつきをいいはじめました。

「わかった。ここまできて、まいごになった」

「わたしもわかった。ここまできて、ねむくなった」

「おなかがいたくなった」

「頭がいたくなった」

「あ、わたしも頭にする。頭をかかえていたから」

「これで決まった。頭がいたくなった」

「そう、決まった。頭がいたくなった」

頭はいたくない、とスキッパーは首をふりました。

「あ、やっぱり、おなかがいたい」

「わたしははじめからそう思っていた」

おなかもいたくない、とスキッパーは首をふりました。こうしてふたごの思いつきに全部首をふっていくのかと思うと、うんざりしました。夢のことはあまり話したくない気分だったのですが、話さないわけにはいかないようです。

「ぼく、夢をみていたんだ」

ふたごはぽかんとしました。それから声をそろえていいました。

「こんなところで？」

「ここでも、ほかのところでも」

スキッパーがこたえると、ふたごは顔をみあわせて、つぶやくように声をそろえました。

「ここでも、ほかのところでも……」

そしてうなずきあうと、さっとスキッパーをはさんで木にすわり、なにがなんでもききだすぞといった調子で、左右からスキッパーの腕をつかんで引っぱりました。

「どんな夢か話してちょうだい」

「どんな夢かききたい」

こきざみにうなずいたスキッパーが、

「話すよ」

というと、ふたごは両手をひざにのせ、お話をきく姿勢になりました。

スキッパーは、ウサギ広場でのことから話しはじめました。話がはじまってすぐの、ウサギとハリネズミの名前が決まるところで、ふたごの姿勢はもうくずれ、手をふりまわしてよろこびました。

「すてき、すてき、なんておもしろい夢」

「わたしたちもスキッパーのこと、ハリネズミってよぼう」

「わたしたちもそんな名前にしよう！　動物の……」

「そう。かわいい動物の……」

「……わたしのことはミンクってよんでね」

「わたしのことは、……ビーバーってよんでね」

　ウサギ広場でのこと、川辺でのこと、そしてこの林でのことを、スキッパーは話しました。なんども口をはさみながら、ふたごはききました。

「変わった夢だろ？」

　と、スキッパーがいったときのことです。

「ハリネズミ、みィつけた！」

　ウサギの声がしました。

　スキッパーとふたごはおどろいてたちあがり、まわりをみまわしました。だれもいない、と思ったのは一瞬で、まず、くっくっと笑う声があちこちできこえました。

つづいて、ウサギ、はだしの子、ズボンつりの子、リボンの子、めがねの子がつぎつぎにあちこちの木の幹のうしろから姿をあらわしました。

「とつぜんあらわれた」

「さっきまではいなかった」

「いつここまできたのか、わからない」

「いつからいたのか、わからない」

目を丸くするふたごに、スキッパーがいいました。

「ほら、ぼくのいってた夢のなかの……」

とちゅうまでいって、変だなと、ことばにつまりました。この五人が夢の登場人物ならいまスキッパーは夢をみていることになります。それならこのふたごも夢のなかのひと、ということになるはずです。

夢の登場人物かもしれないふたごは、ウサギたちの笑顔に、笑顔のうなずきでこたえながら、スキッパーにこういいました。

「これ、夢じゃない。だって、ほんもの」

「そう。夢じゃない。そこに、いる」

スキッパーはすっかりこんらんしてしまいました。

「ゆ、夢じゃないんだとしたら、どうやってとつぜんみたいにあらわれたりできるの？」

このスキッパーの質問に、ふたごは顔をみあわせて考えこんでしまいました。でもすぐにこたえを思いつきました。

「わかった。これは夢。わたしたちも夢をみている」

「わたしはミンクとちょっとちがう。わたしたちがスキッパー、まちがい、ハリネズミの夢のなかにはいってしまった。だから、これは夢」

「ビーバー、すてき。そのほうがおもしろい。わたしもそれにする」

――ああ、ふたごの意見をきくと、よけいにややこしくなる、ふたごに質問したのが悪かった。

スキッパーはためいきをつきました。

とつぜんリボンの子がいいました。

「かくれていたほうが、みィつけた！っていうのはおかしいと思うの。ハリネズミはかくれていないのに、みつけられるのって、まちがいと思う」

「じゃ、どういえばいいんだ？」

はだしの子がたずねるとリボンの子は首を左右にふりました。

「どういえばいいんだ、じゃなくて、どうすればいいんだって、きいてほしいの」

はだしの子は、いわれたとおりに、ききなおしました。

「じゃ、どうすればいいんだ？」

「かくれんぼをすればいいと思うの」

リボンの子が大とくいでこたえました。

スキッパーはといえば、いったいこれが夢なのか夢ではないのかということが気になって、話をぼんやりときいていました。けれど、かくれんぼということばに、え？と気をひかれました。

——かくれんぼ！　そうだ、かくれんぼだ。もとはといえばバーバさんの手紙のせいでかくれんぼが気になって、それでウサギに〈みィつけた！〉なんていってしまったんだ。そこからこの夢もはじまったんじゃないか。

そう考えると、かくれんぼをしなくちゃ、という気がしてきました。そうです。一度ほんもののかくれんぼをしてみれば、と思っていたのです。

スキッパーは、いつになくきっぱりといってしまいました。

「かくれんぼをしよう！」

5

ほんもののかくれんぼは、どうだったか

まずジャンケンでオニを決めることになりました。

八人もいるのでなかなか決まりません。スキッパーは、かくれんぼがはじめてなので、最初はオニになりたくないなと思っていました。かくれるほうなら、だれかのまねをしていればいいのでかんたんです。

ありがたいことに、最初のオニはズボンつりの子がなりました。

ズボンつりの子が、目をかくした両腕で木の幹にもたれました。

――いよいよかくれんぼがはじまるぞ。

スキッパーはごくりとつばをのみこみました。

――どこにかくれればいいんだろう。

まわりをみまわしました。ほかの子はもうかくれる場所を決めたのか、そっと歩きはじめています。スキッパーも、だいたい同じように歩きだしました。

春の陽ざしのはいりこんでいる明るい林は、かくれるところといえば太い木か、ところどころにあるしげみのうしろぐらいのものです。

とつぜんズボンの子の「もォいィかァい」がきこえて、スキッパーはびくっとしました。そうでした。こういうふうにとなえるのでした。

「まァだァだよォ」

ウサギとはだしの子がこたえています。そうです。こういうふうにとなえかえすのです。もう何人(なんにん)かは身(み)をかくしたようです。スキッパーはしげみのうしろにかくれることに決(き)めて、しゃがみこみました。そっと首(くび)を出(だ)してのぞくと、木の幹(みき)にかくれているふたごとはだしの子が、ぴったり木にひっついて、からだをまっすぐにしているのがみえました。

「もォいィかァい」

「まァだァだよォ」

ひとりだけこたえたウサギが、するするっとスキッパーのしげみにやってきて、となりにしゃがみこみ、口に手をあて、別(べつ)の方角(ほうがく)にむかっていいました。

「もォいィよォ」

——ああ、〈もォいィよォ〉になってしまった。

そう思うときゅうに胸がどきどきしてきました。

「みィつけた」

さっそくだれかがみつかっています。

——だれだろう。

スキッパーは息をころしてしげみの葉をみつめます。葉は幅広の笹のような形です。テントウムシがいっぴき葉のふちを歩いています。

そのとき、ウサギがスキッパーのひじをかるくひっぱりました。びくっとふりかえると、ウサギはしげみのなかにはいりこもうとしています。そうっとしげみをおしひろげて、からだをいれていくのです。ついてこいといっているようでした。しゃがんだまま、スキッパーもしげみのなかへ、ウサギのあとについてはいっていきました。

「みィつけた」「みィつけた」

まただれかがみつかっています。

「本気じゃなかった」

「そう、これは練習」

まけおしみをいっているのはふたごです。

ウサギがスキッパーにひろげた手を出しました。とまれ、といっているようです。つぎにその手が低い位置で、しげみのむこうを指さしました。しげみの下のほうには葉はあまりありません。ウサギのまねをして頭をさげると遠くまで地面近くがみえました。ズボンつりの子の足元がみえます。スキッパーはからだをかたくしました。つま先があちこちむきをかえているのは、いろんな方向をさがしているからでしょう。そのむこうにみえているのは、もうみつかったふたごとリボンの子の足のようです。

——むこうからはぼくたちがみえないのに、こちらからはむこうのようすがわかるんだね！

おもしろいね、という目でふりかえると、ウサギも顔が笑っています。スキッパーのどきどきに、おなかの底からふくれあがるくすぐったさがくわわってきます。ズボンつりの子のくつがこちらにせまってきました。スキッパーのひじをつかんでいるウサギの手に力がはいります。どんどん近づいてきます。

――わあ、みつかる……。

「みィつけた」

――え？　ちがうよね。いまのいいかた、ぼくたちにいったんじゃないみたいだったよね……。

「みつかっちゃったなあ」

めがねの子らしい声がきこえました。

――よかった！

スキッパーはウサギと「よかった！」の顔をみあわせます。ウサギの目はキラキラしています。

「あと三人？」
「うん」
めがねの子とズボンつりの子が話していいます。
ズボンつりの子のくつが右へいったり左へいったりします。
とつぜんくつがこちらをむいてとまります。
――ああ、だめだ。
でもみつかりません。
もう手をのばせばとどくくらいの近さなのにみつからないのです。
スキッパーはきゅうにおかしくなってきました。
顔が本気で笑えてきて、おなかの底からくっくっと笑いがこみあげてきます。
ウサギが気づいて、スキッパーを笑わせないようにひじをぎゅっとにぎってきます。

それがまたおかしくてたまりません。ウサギもからだをゆらしているようです。ウサギも笑いをこらえているのです。息をとめて、顔をまっかにして……。

「どこに消えたのであろう」

ズボンつりの子の変なつぶやき。それをきくと、もうがまんできませんでした。ふきだしたスキッパーとウサギは、声をたて、涙を流して笑いつづけました。「みィつけた」なんて声はきこえませんでした。

はだしの子は「こォさァん」で出てきました。すぐ近くの木の幹にかくれていたのですが、オニが歩くのにあわせて、反対側へ反対側へとからだをまわしていたのです。

つぎのオニは、ジャンケンでウサギがなりました。

ウサギが木にむかって目をかくしたとたん、ふたごはしのび足の全速力で、できるだけ遠くへいこうとしました。ぜったいにみつからないようにしようと考えたらしいのです。

全速力(ぜんそくりょく)のしのび足のふたご

「タイム、ターイム！」

はだしの子が両手をあげて、ふたごにむかって叫びました。

――タイム、ターイムってなんだろう。

スキッパーは、みんなのようすをみました。ウサギは目をかくすのをやめて、ほかのみんなもぼんやりと、つったっています。どうやらかくれんぼはすこしお休みをするようです。

なんなのよ、という顔でもどってきたふたごに、はだしの子がいいました。

「そんなに遠くにいっちゃだめだろ」

どうしてよ、とふたごはそろって斜めにあごをつきだしました。

「〈もういいかい〉とか〈まいった〉がきこえないじゃないか」

「わたしたち、きこえる」

「そう、きこえる」

「風が吹いてザァーっていったらきこえないぜ。なあ」

はだしの子は「なあ」のとき、ズボンつりの子とめがねの子とスキッパーをみました。たまたま三人ならんでいたのです。ズボンつりの子が「うん」といって、めがねの子もうなずきました。スキッパーもあわててうなずきました。

「じゃあ、やるね」

ウサギはもういちど木にむかって目をかくし、かくれんぼがはじまりました。

ふたごはプッとふくれて近くのしげみにかくれました。やる気のないかくれかたをしていたので、「もういいよ」のあとすぐにみつかり、いよいよふきげんになりました。

スキッパーは、はだしの子のまねをして木の幹にかくれようとしたのですが、すぐにみつかってしまいました。

ズボンつりの子は、みつかったあと、ポケットに持っていたナイフで木切れをけずっています。かくれんぼでみつかったことを、あまりくやしがっているようにはみえません。

ウサギは、リボンの子はみえているのに、わざとしばらくみのがしてやっているようでした。

はだしの子はこんどもなかなかみつかりませんでした。どこにいるのか、スキッパーにもわかりません。もうみつかっていためがねの子が、ウサギの目をぬすんでスキッパーをひじでつつくと、指で地面をさしました。

――まさか土のなかに？

そんなわけはないだろうと思ったとき、地面にうつった木の影が変な形だと気づきました。おどろいてみあげると、はだしの子は木にのぼっていたのです。

ちらちらと木の上をみあげるスキッパーに気づいて、ふたごも木の上のはだしの子をみつけてしまいました。ふたごのえんりょのない視線に、はだしの子は、こちらをみるな！　とふたごに身ぶりでしめすのですが、ふたごはそれがおもしろくて、くすくす笑ってしまい、とうとうそのせいで、はだしの子はウサギにみつかってしまいました。これでふたごのきげんはなおりましたが、はだしの子がふきげんにな

りました。

そしていよいよスキッパーがオニになりました。

目をかくした腕で木にもたれます。みんなの足音が遠くなっていきます。それでもスキッパーの特別よくきこえる耳には、はっきりきこえます。遠くの足音がひとつ、ふたつととまっていきます。

——そうだ、あれをいわなきゃ。

ちゃんといえるでしょうか。まだいちども「まァだァだよォ」も「もォいィよォ」もいったことがなかったのです。

——でも、いわなきゃ。

小さくせきばらいをして、目かくしをしたまま、胸にいっぱい息を吸いこみました。

「もォいィかァい」

これでよかったんだろうかと息をはずませていると、

「まァだァだよォ」

の返事がきこえました。ウサギの声です。うまくいえたようです。目かくしの下で口が笑った形になりました。

もういちど「もォいィかァい」をやろうかなと思ったとき、「もォいィよォ」の声がきこえました。

スキッパーはそっと息をはきだして顔を腕からおこし、静かに目をあけ、まわりをみまわしました。なんだか顔がすずしく感じました。目をかくす前は、自分をいれて八人いたのに、この林のなかでたったひとりになってしまったように思えました。一瞬、みんなどこかへいってしまったんじゃないか、という気がしました。が、いや、みんないる、と思いました。みえてはいないけれど、近くにかくれているという気配がたしかにありました。

あの木かな、あのしげみかな。さあ、みつけてやるぞ。そう思うとなんだか顔が笑えてきました。見当をつけた木にそっとしのびよります。いません。すこしがっかりします。じゃあ、あのしげみかな。そうだ、目を低くすればいい。スキッパー

はしゃがんで目を低くして、しげみの下をのぞきます。思わずふきだしました。しげみの下にウサギとリボンの子の目がならんでいたのです。

「みィつけた！」

スキッパーは笑顔で叫びました。

幹のうしろにかくれている子は、木の影の形がヒントになりました。くつや服の一部分がみえていたり、影でそこにいるのがはっきりわかっているのに、まだみつかっていないと思ってひっしにからだを小さくしているのも笑えました。

ふたごはみつけられると、

「わざとみつかってあげた」

「そう、みつからないとかわいそうだから」

などといいました。

はだしの子がやっぱり最後になりました。もう「こうさん」といおうかなと思ったとき、ふたごがくっくっと笑っているのに気がつきました。ふたごの目は、どうやらひとつのしげみをみているようです。

——あのしげみはなんども下からのぞきこんだはずなのに……。

そう思いながらスキッパーは、もういちどしらべてみました。すると、いました。下からのぞいてもわからなかったはずです。しげみのなかにあった大きな石の上にのっかっていたのです。

「わあ！　こんなところにいたんだ！」

スキッパーは感心したのですが、はだしの子はむっとした顔をしています。ふたごが笑わなければみつからないところだったのです。しげみから出てくると、ふたごをにらんで、二、三歩近づきました。なにかいおうとふたごを指さしたとき、ふたごのほうがじりじりとさがりながら、先にいいました。

「わたしたち、いまからちょっと用がある」

「そう。いそいで帰る用があった」

「じゃあね」

「またね」

ふたりはあともみずに川のほうへかけだしてしまいました。スキッパーたちは、ただみおくるばかりでした。

「あいつたちって……」

まだ口をとがらせているはだしの子の気分を変えるように、ウサギがみんなにいいました。

「場所を変えようか」

「場所を？」

リボンの子がききかえしました。

「うん。こういうふうにむこうのほうまでみえるところじゃなくて、大きな木がいっぱいあるところですると、もっとおもしろいよ」

「じゃ、どこでするの？」

「あっちのほう」

ウサギが指さしたのは、スキッパーがやってきたのとは逆の方向です。

まだ遊べるかな、とスキッパーは空をみました。いつのまにか陽はだいぶかたむいています。でもまだ夕暮れというほどではありません。もうすこしならいいでしょう。

「よし、いこう」

ズボンつりの子がいって、みんなは歩き出しました。

「場所を変えるなら」やっときげんをなおしたはだしの子がいいました。「もういいかい、まだだよっていうのを、百かぞえるのにしようぜ」

「どんなの？」

リボンの子がききかえします。

「オニが目をとじて、声に出して百までかぞえるんだ。な。百までのあいだにみんなはかくれる。百までかぞえたら、オニはさがしにいく。もういいよっていう声で場所がわかるといけないからさ」

なるほどとスキッパーはうなずきました。

ズボンつりの子がそのあたりにたくさんはえている背の低い木の、若葉をちぎってくちびるにあてました。

「ビッビビッビビー」

笛にしたのです。すぐにはだしの子とウサギも葉をちぎり、鳴らしはじめました。

「ビッビビッビビー」

「あのう、それ、ええっと、どういうふうに……」

めがねの子がズボンつりの子にたずねています。スキッパーもどうするのかみようと、近よります。ズボンつりの子は、鳴らしていた葉をすて、もう一枚ちぎると、ゆっくりとくちびるにあて、音を出しました。

「ビッビビッビビー」

メガネの子とスキッパーはまねをしました。

「ビッビビッビビー」

スキッパーのほうが先に音が出ました。

「あれ？　あれ？」

めがねの子はなかなか音が出ず、首をひねります。

「ビビー」

やっと音が出ると、めがねの子はスキッパーと目をあわせ、とてもうれしそうな顔をしました。

リボンの子に鳴らしかたを教えていたウサギが、スキッパーのとなりにやってきて、

「ビビビビビ、ビービビビビ」と鳴らしてたずねました。「いま、なんていった？」

わかるわけがないよ、とこたえかけて、きゅうにこたえがわかりました。

「ハリネズミ、みィつけた！」

「あったりィ」

「どうしてそんなのがあたるんだ？」

はだしの子が目を丸くしました。

みんながビービーと鳴らすのにあきてきたころ、ようやくウサギのいう〈あっちのほう〉につきました。まばらだった木がこみいったはえかたになり、太い幹としげった葉でみとおしが悪くなり、岩があり、しげみやつるがあります。

「なあるほど。ここならおもしろいぜ」

はだしの子は、もうすっかり上きげんでした。どこにだってかくれられそうなところなのです。

ジャンケンをしました。最初に負けたのはスキッパーでした。

スキッパーはその場にしゃがみこんで、両腕のなかに顔をかくしました。そして大きな声で数をかぞえはじめました。

「いち、に、さん、し、ご……」

自分の声がひびいて、まわりの子の足音をきくことができません。

「ごじゅういち、ごじゅうに、ごじゅうさん……」

大きな声を出してかぞえると、もうほかのことは考えられません。スキッパーはひたすら数をかぞえました。

「……きゅうじゅうはち、きゅうじゅうく、ひゃーく！」

目をあけると、思ったより暗い森のなかにたったひとり、という感じでした。でも五人がどこかにかくれているのはまちがいありません。耳にしんけいを集中させます。どこかにしのび笑いの感じがあります。

静かにたちあがって、ゆっくりまわりをみまわしました。太い幹の木は、のぼりやすそうな枝が出ています。もしかすると木の上にのぼっているかもしれません。大きな岩のむこう側もあやしい感じです。案外すぐ近くの草のかげにかくれているのかもしれません。

スキッパーはゆっくりと移動しました。移動しながら、自分だったらどこにかくれるかな、と考えました。ぼくならしげみだな、と思いました。なぜかというと、しげみの奥の暗がりだと、自分の姿をかくしたまま、オニの姿をみることができるからです。

こうしているいまも、スキッパーの姿をみて笑いをかみころしているだれかがいるのにちがいありません。あのしげみのむこうか、あちらの葉の重なりのうしろか……。スキッパーは、ふっとバーバさんの手紙を思い出しました。

――かくれんぼの、わくわく……。

心のなかでつぶやきました。

そのとき、むこうのしげみの奥に、ピンク色がちらりとみえました。

――いた、いた。

スキッパーは、目だけで笑いました。かくれているつもりが、リボンだけみえているのです。

そちらの方向へ、しげみをまわりこもうとして、そのあたりの枝やつるが、歩きやすいように切りはらわれていることに気がつきました。

――ズボンつりの子がナイフを持っていたっけ。

こちらにかくれているのは、リボンの子だけではないようです。歩きやすくなったところを通って、しげみのむこうへ出たとたん、スキッパーは息をのみました。

リボンではありませんでした。すこしむこうに、みごとなピンクの花の木があったのです。サクラの仲間でしょう。大きな木に、花が満開です。そこだけ、かがやいているように明るくみえました。

——すごいや……。

スキッパーは、引かれるように、花の木のほうへ歩き出しました。歩き出してから、きっとみんなもあの木のあたりでかくれているんじゃないかな、と思いました。とにかく、近くへいってみたかったのです。

木はくぼ地にたっているようで、はじめは上のほうしかみえませんでした。すぐに道は下り坂になり、花の木全体がみえ、スキッパーはもういちどおどろくことになりました。

くぼ地にたっている大きな花の木の根元には、こそあどの森にすむおとなたち、ポットさん、トマトさん、ギーコさん、スミレさん、それにトワイエさんが、赤い布をしいて、皿やカップをならべて、ぐっすりと眠りこんでいたのです。

それはなんだか、とてもふしぎな景色にみえました。絵でもみているようでした。

――どうしてみんな眠ってるんだろう。

どうやらピクニックにやってきたらしいのですが、全員が眠っているというのは、ちょっと変だなと思いました。

――おこしたほうがいいのかな。

スキッパーは迷いました。でもおこすことにしました。風もすこし冷たくなってきています。なんといっても、まだ春のはじめなのです。

さあおこそうと、トワイエさんの肩にのばした手をとめて、スキッパーは首をひねりました。

――待てよ。ここに寝ているひとたちって、ほんとうにここにいるのかなあ。

もしもウサギたちがスキッパーの夢の登場人物なら、このおとなたちも夢に出てくるひとかもしれません。

――まあ、とにかく、おこしておこうかな。

そう思って、トワイエさんの肩をかるくたたいてみました。おきません。肩をかるくゆすってみました。おきません。

――どうしたんだろう。

強くゆすりました。頭がぐらんぐらんとゆれました。おどろいて、となりにいたギーコさんもゆすりました。やはりおきません。スミレさん、トマトさん、ポットさん、みんなゆすってみました。だれも目をさまさないのです。

――どうして……？

スキッパーはきゅうにこわくなりました。思わず大声で叫びました。

「トワイエさん！　ポットさん！　トマトさん！　ギーコさん！　スミレさん！」

いったいどういうわけでしょう。あんなにゆすってもおきなかったのに、名前を

よばれると、五人とも目をさましたのです。これにはスキッパーのほうがびっくりしてしまいました。

「やあ、スキッパー、きみか」

と、目をしょぼしょぼさせたのはポットさんです。

「まあ、わたしったら、すっかり眠ってしまって……」

トマトさんは大きなあくびをつけくわえました。

「あ、いや、これは、その、ええ？　全員眠っていたのですか。いや、よくみつけて、ええ、おこしてくれましたねえ、いやいや……」

トワイエさんは頭をかきました。ギーコさんはだまって目をむいて首を左右にふっただけです。スミレさんはこんなところで眠っているのをみられてはずかしかったのでしょうか、

「あら、みつかっちゃった」

と、いったあと、なぜかぼんやりしてしまいました。

「しかし、スキッパー。きみはこんなところでなにをしているんだ?」

ポットさんにいわれて、スキッパーはみんなを待たせていることを思い出しました。

「かくれんぼ。ぼく、いかなくちゃ」

いかなくちゃ、なんていってしまったと、スキッパーは思いながら、「じゃ」とおとなたちに手をあげました。

「おこしてくれて、ありがとう」

ポットさんの声を背に、さっき百までの数をかぞえた場所へ走ってもどりました。

そして待っていてくれたみんなに、息をはずませながら大きな声でいいました。

「ごめん、ごめん。しっているひとたちがいたから、ちょっとむこうへいってたんだ。これから、さがすからね」

返事は、もちろんありません。声を出すとかくれているところがわかってしまうからでしょう。

むこうへいっていた時間をとりもどすように、スキッパーはいっしょうけんめいさがしました。みつかりません。すこし不安な気持ちになりました。もっといっしょうけんめいさがしました。でも、どんなにさがしても、みつからないのです。

——ずいぶんうまくかくれてるんだ、きっと。

胸がどきどきしてきます。

——そうだ。〈こうさん〉にしよう。そうすればみんな出てきてくれる。

スキッパーは声をはりあげました。

「コォさァーん」

森はしいんとしています。

「まいったァ」

だれも出てきません。

耳をすましてみました。さっきとはちがう感じがしました。百をかぞえたあとは、だれかが笑い声をこらえていたり、息をころしていたりする気配があったのに、い

ま、それがかんじられません。

うそ寒い風が葉をざわつかせて通りすぎました。

——いっちゃったのかな。

またこんども、スキッパーひとりをのこして、消えてしまったのでしょうか。

——でも、おかしいじゃないか。ぼくがもとの場所にもどってないのに、夢が終わるって……。

スキッパーがどう考えようと、気配はもどってきません。両手を口にあててよんでみました。

「ウサギー」

遠くでこだまがきこえたような気がしました。あとの子もよぼうと思って、名前をしらないことに気がつきました。そういえば、ウサギだって、ほんとうの名前じゃなかったのです。名前さえしらない……。

もういちどだけよんで、出てこないならあきらめる。スキッパーはそう決めてよびました。

「ウサギー」

涙が出てきました。

足音が近づいて、はっとふりかえるとスミレさんでした。くぼ地からのぼってきて汗をかいたのか、片手のハンカチで顔のあちこちをおさえています。スミレさんは、一息ついてから、低い声でいいました。

「スキッパーは、こどもたちと遊んでいたんだね」

涙をみられたくないので、スキッパーはスミレさんのほうはみないようにしました。スミレさんはいったいなにをいいにきたのでしょう。

「いつもはこの森にいない子たちがいたのね？」

思わずスキッパーはスミレさんをみました。スミレさんはむこうの木のほうをみています。そしてひとりごとをいうみたいにつづけました。

「その子たちは、さがしてもみつからない。……もう消えてしまったのよ」

「あの子たちはだれなの？　どうしてスミレさんは、そんなことをしってるの？」

いきおいこんでスキッパーがたずねると、スミレさんは大きく息をついて、別の木に目をうつしました。

「あの子たちは、消えてしまった。だから、さがしてもみつからない。……だから、スキッパー、もうお帰り」

そういって足もとに目をやって、

「あ、こんなところに……」

と、草のあいだからひろいあげたのは、白い花のかんむりでした。

「……あんたの？」

スキッパーはしばらくスミレさんの目をみてから、うなずきました。

「……そう、ぼくの」

そして、おとなたちの話

ユメミザクラの木の下で

1　サクラの名前はわからない

こそあどの森のおとなたちは、ときどきいっしょにピクニックをすることにしていました。

冬が終わって、最初のたのしみといえば、みんなで花をながめ、おしゃべりをしたり食べたりすることです。今年の春は、ギーコさんがみつけた大きなサクラの木の下で、お花見をしようということになりました。

ギーコさんの案内で、ポットさんとトマトさん、トワイエさん、スミレさんは、リュックやバスケット、袋のなかにおたのしみのものをつめこんで、森を進んでいきました。

「しかし、その、ぼくが残念なのは、そう、そんな場所に大きなサクラがあったと、そのことにぼくが気がつかなかったと、そういうことですね、ええ。そのあたりなら、ふだんの散歩で、うん、いっていてもふしぎじゃないですからね」

トワイエさんは、サクラの場所をギーコさんにきいてから、ずっと残念がっていました。ギーコさんの話では、そのサクラの木は、ギーコさんとスミレさんのガラスびんの家と、トワイエさんの木の上の屋根裏部屋の家と、湖のふたごの家から、ちょうど同じくらいの距離にあるというのです。

「しかし、どうしていままで、だれにもみつけられなかったんだろう」

大きな袋をかついだポットさんが首をひねりました。

「きっとみつけにくいところにあるんだわ。ね、そうでしょ？　ギーコさん」

トマトさんがたずねると、先頭を歩いていたギーコさんはふりかえってうなずきました。

「みつけにくいところにはあるんだ。でも、みつからないところにあるってわけでもない」

「じゃあ、どうしていままでみつからなかったんだい？」

ポットさんがもういちど同じことをたずねました。

「うん、そのことなんだけど……」

ギーコさんはゆっくり歩きながらいいました。

「とても珍しいサクラじゃないかな。あれだけの大きさのサクラが満開になれば、ぼくやトワイエさんがときどき歩くあたりだから、みつからないわけがない。ということは、何年かにいちど、でなきゃ、何十年かにいちどだけ、花を咲かせるサクラだと思うんだ」

「まあ、そんなサクラがあるの？」

トマトさんがたずねると、ギーコさんは前をみたままぶるっと首をふりました。

「いや、きいたことはない」

「なんだ……」

「サクラじゃなくて、ほかにはあるんだ。何十年かにいちど咲くっていうのが……」

「じゃあ、その、そんなサクラも、うん、あるかもしれませんね、ええ」

そんな話をしているうちに、森のようすが変わってきました。草やしげみがぎっしりとつまって、みとおしが悪く、暗い感じになってきたのです。

「ねえ、そのサクラって、まさか陰気なところで咲いているんじゃないわよね？」

深く暗い葉の重なりを斜めにみあげて、スミレさんがいいました。

「だいじょうぶ」

ギーコさんはうなずきましたが、ますます森は暗くなります。枝からたれさがったつるや、とびだした枝を、ギーコさんは鉈ではらって進みました。からだの大きなトマトさんが通れるように、です。

そして、しげみのひとつをまわりこんだとき、みんなは思わず足をとめました。暗い森はとつぜんとぎれ、目の前に、まぶしくかがやく花のかたまりをみることになったのです。

「これは……」

「まあ、なんて……」

「ほんとに、ええ、これは……」

みごとさに、しばらくはことばが出ませんでした。

サクラはまわりよりよりも低くなったところ、くぼ地にたっているようでした。おり

ていくことにしました。

背の低い木をさけながら、足元に気をつけて斜面をくだっていきました。くぼ地は意外と広く、下からみあげたサクラは、上からみたときよりも、もっと大きくみえます。春の陽の光は、ここだけ特別たくさんさしこんでいるようで、じっさいまわりの森のなかよりも、下にはえている草の緑はずっと色濃くみえました。

「いやあ、いいところだなあ」

「なるほど、これは、んん、みつからないところではないけれど、みつけにくいところ、ですね」

「ギーコさんたら、ほんとにすばらしい木をみつけてくれたものだわ」

「そうだよ、今年の花見はギーコさんのおかげだ」

みんなは口々にギーコさんにお礼をいいました。

「さあ、用意だ、用意だ」

ポットさんが、背負っていた袋からたたまれた赤い布をとりだしました。みんなはてつだって、それを大きくひろげました。全員がゆっくりすわれるほどの布が、満開のサクラの花の下にひろげられました。

「このサクラの名前なんだけど……。ギーコさんはしらないっていったわね」

スミレさんが、ひろげた布のすみにバスケットをおいて、風でめくれないようにしながらいいました。

「あたし、ユメミザクラって名前を思い出したの」

食べものを出そうとしていたり、布のはしに石をのせようとしていたりしたほかの四人は手をとめて、顔をみあわせました。

「ユメミザクラ?」

ポットさんが肩をすくめました。「そりゃあ、お話に出てくるサクラだろ?」

トワイエさんがうなずきました。

「ええ、そう、お話に出てくるサクラですね。でも、お話に出てくるから、ほんとうにはない、ということも、その、いえませんね」

「そりゃまあ、そうだ」

ポットさんはトワイエさんにうなずいたあと、ギーコさんにたずねました。

「ユメミザクラって、ほんとうにあるのかい？」

「さあ」ギーコさんは首をひねりました。「ほんとうにあるのかどうか、ぼくはしらない。でも、あれはかわいそうな話だから、あまり好きじゃないな」

「かわいそうな話？　どこが？」

トマトさんが首をかしげました。

「だって、死んでしまうだろ」

そうこたえたギーコさんに、トマトさんとポットさんとトワイエさんが同時に、

「だれが？」

と、たずねました。

どうやら、ギーコさんのしっている話は、トマトさん、ポットさん、トワイエさんのしっている話とちがうようでした。

「ちょいと待った」

ポットさんが両手をあげて、みんなの顔をみました。

「思ったより目的地が近かった。まだおなかもすいていない。ね。ここはひとつ、食べものをならべるのはあとにして、ユメミザクラについて、話すことにしようじゃないか」

「おもしろそうじゃないの」

スミレさんがまっ先に腰をおろし、あとのみんなもそれぞれ布の上にすわりこみました。

「ということになれば、まずトワイエさんのしっているユメミザクラの話をしてもらおう」

ポットさんにきゅうにいわれて、トワイエさんはすこしとまどいました。

「え？　ぼくからですか？　ええ、はい。それでは、その、話しますから、ギーコさんは、あとで、どこがちがうのか、教えてください」

トワイエさんが話しはじめました。

「ぼくは、その、本で読んだんです。昔のことで、なんという本だったか、まるで覚えていないんですけど、話は、はっきり覚えています。ええ。こんな話です。ある年をとった男のひとがいた、と――」

その男は、事業に成功して、いまはゆうゆうとくらしているが、昔はひどく貧しかった。貧しさのために、愛しあった恋人とも別れなければならないほどだった。

年をとったいまになって、その恋人のことがしきりに思い出された。生きているのか死んでいるのか。ひとにたのんでしらべてもみたが、行方はわからない。そんなある日、男の前に昔のままの若い恋人があらわれた。もちろんふしぎだった。だが男はうれしかった。夢中になった。毎日若い恋人と時間をすごした。そして三日目に若い恋人と森に出かけ

ることになった。

森には一本のサクラが咲いていて、そのサクラの下に、ひとりの年とった女が眠っていた。あたりにすむひとにたずねると、三日前から眠っていて、ゆすってもおきないという。このまま死んでしまうのを待つほかないというのだ。男が年とった女の持ちものをしらべると、ふしぎなことに恋人と同じ名前だということがわかった。男はその名をよんでみた。するとゆすってもおきなかったのに目がさめた。

「きみと同じ名のひとが、目覚めたよ」

男がふりかえると、若い恋人の姿は消えていた。かわりに、目覚めた女が男にいった。

「わたしです」

年とった女こそ、昔の恋人のいまの姿だったのだ。

のこりの人生を、ふたりはいっしょにくらした。

このサクラは、ユメミザクラという珍しいサクラで、花の下で眠ると名前をよばれるまで目がさめず、そのあいだにみる夢のなかの自分が、ほんとうに姿をあらわすのだそうだ。

「というのが、んん、ぼくのしっている話なんですがね」

話し終わったトワイエさんがみんなの顔をみました。

「ぼくのきいているのも同じだ」

ポットさんがいうと、トマトさんもうなずきました。

「わたしも同じだわ。そういう話よ」

そしてトワイエさんとポットさんとトマトさんは、ギーコさんをみました。今度はギーコさんが話すばんです。ギーコさんが「うん」とあごを引いて、どういうふうに話そうかと考えていると、

「あたしから話しましょうか？　ギーコさん」

スミレさんが話をとりました。

「ギーコさんの話は、あたしの話と同じはずね。いっしょにお母さんからきいたんだから」

「じゃ、だれかが死んでしまうんだな」

ポットさんがいうと、トマトさんがからだをちぢめてポットさんのうでにしがみつき、スミレさんはうなずきました。

「トワイエさんの話と、とちゅうまではまったく同じなの。ちがうのは、男が年とった女をおこそうとするのを、若い恋人がとめるというところから――」


どうかその年とった女をおこさないでほしい、と若い恋人がいうので男は年とった女をそのままにしておいた。その日の夜、若い恋人は男の腕のなかでからだがだんだんすきとおっていき、声も弱まり、とうとうまったく消えてしまった。

同じ時刻に、ユメミザクラの木の下で年とった女が死んでいた。あとで持ちものを調べると男の恋人だったとわかった。


「というお話。そうね？　ギーコさん」

ギーコさんはすこしまゆをよせました。

「ほら、かわいそうな話だろ。どうしておこさせなかったんだろ。トワイエさんの話のほうがいいな、ぼくは」

「そう？　あたしはこちらの話のほうがわかるわね」

スミレさんはそういって、自分でうなずきました。

トマトさんは、首をかしげました。

「わたしは、いっしょにくらす話のほうが好きだわ。でも、トワイエさん」

「はい？　なんでしょう」

「さっきのトワイエさんの話ではよくわからなかったんだけど、その年とった女のひとは、自分の夢を覚えていないんでしょ」

「え？　いえ、それは、覚えているか、いないか、そのことは、書いてなかったのでは、と……」

「あら、そう。わたしがしっている話では、自分の夢を覚えていないのよ。それがわたしは小さいときから、ずっと不満なの。だって、つまらないでしょ」

ポットさんが意外そうに、トマトさんをみました。

「おやおやおや。そんなにいろんな話があるとは思わなかったなあ。ぼくのきいているのは、ちがうよ」

「ちがうって？」

「ぼくのユメミザクラの話なら、年とった女は自分の夢を覚えてるよ。目がさめて、男と語りあうと、この三日間のことをすべて、一日めの夕食になにを食べたか、テーブルの皿のもようがどんなだったかってことまで、きちんと覚えていて、それが男の記憶とぴったり一致したって話なんだよ」

「すてき！　その話のほうがいい」

ポットさんはうなずきました。

「じゃあトマトさん、この話をきみの話にすればいいよ」

「なんてやさしい！　キスして！」

ポットさんはたちあがって、すわっているトマトさんのほっぺたにキスしました。

「いろいろな話があるってことは、つくり話だってことかな」

ギーコさんにたずねられて、トワイエさんはすこし考えました。

「いや、その、いろいろなひとが、話をつたえた、と、そういうことでしょう」

ギーコさんは首をひねったついでに頭の上のサクラの花をみあげました。さそわれるようにほかの四人もみあげました。すこしのあいだ、みんなだまって花をみました。

ポットさんが、ユメミザクラの話をはじめたときと同じように、手をあげていいました。

「さあ、このあたりでぼくたちも、きょうの昼食になにを食べたか、きちんと覚えることにしようじゃないか」

そこで、それぞれが、自分の用意した食べものを出しはじめました。ハムのサンドイッチ、ほしぶどうのパイ、リンゴ、ほしアンズ、チーズ……。ギーコさんは枯れ枝を集めてきて、ハーブティーをいれるためにたき火をはじめました。

「いやあ、このあいだまでの寒さが、うそのようだね」

ポットさんがそういって、布の上にごろんところがってみせました。が、ころがってすぐにおきあがってきました。

「そうそう、あれを出さなきゃ」

さっき赤い布を出した袋には、まだなにかはいっていました。コルクでしっかりふたをしたびんです。どうやら、お酒のようでした。

「なんです？　それ」

トワイエさんがたずねると、ポットさんはしあわせそうな目でうなずきました。

「蜜酒」

「みつざけ？」

「蜂の集めた蜜がだね、自然にお酒になったものなんだ、これが。ぼくもまだ本格的にはのんでないんだ。でも、ちょいとなめると甘くてね、こいつはぜったいにウマイぜ。きょうのためにとっておいたんだ」

　ポットさんはバスケットから小さいグラスを五つとりだすと、蜜酒をそそいでは渡していきました。

「いいにおいがするわね」

「それにきれいな色」

　スミレさんとトマトさんが顔をみあわせました。

　五人がグラスを持つと、ポットさんがいいました。

「みんなの健康と、ユメミザクラに、かんぱい！」

「ユメミザクラと決まったわけじゃないのに」

と、スミレさんが笑うと、

「じゃ、発見したギーコさんにかんぱい！」

ポットさんがいいなおして、全員がグラスを高く持ちあげ、くいっとのみました。

「うまい！」

トワイエさんが叫びました。

「だろう？」

ポットさんがうれしそうにこたえました。

「あとは自由にやってくれよ。ここにおくから」

たのしい食事がはじまりました。

「リンゴと蜜酒っていうのが、合うんじゃないかしら」

「ぼくはチーズと蜜酒がいいな」

「蜜酒といってもいろいろあってね。蜂によって、それに、蜜をつくる花によって、
うん、いろいろ……」

「バラのハーブティーがはいったよ。ティーカップは、と……」

「ギーコさん、わたしにバラのお茶をちょうだい。ちょっと蜜酒をお茶で割ってみるから」

「お、テントウムシがとんできた。春だねえ、うん、春」

「このサンドイッチ、ハムと、からしバターが、その、たまりませんねえ、ええ」

「トマトがあればよかったんだけど、季節がトマトじゃないのよね」

「トマトがなくてもトマトさんがいればそれでいいよ」

「ま、あんなことといって、ポットさんたら、キスして」

「花びらがはいって浮かんでる。これをいっしょにのむのがイキなんだ」

「バラとサクラのお茶ね」

「春の陽ざし、鳥の声、満開のサクラ、そう、そして蜜酒……」

「お、みてごらん」

ポットさんが指さしてみんながみると、スミレさんがサクラの幹に背をもたせか

け、こっくりこっくり、いねむりをはじめていました。ギーコさんが笑って小声でいいました。

「姉さんは、きのう、庭いじりの大しごとをしたんだ。とつぜん思いついてね。そのうえきょうのパイをつくるのに、夜おそくまでがんばっていたから……」

「がんばっただけのことはあるわよ。このほしぶどうのパイ、とってもおいしいわ。スパイスになにをつかっているのかしら」

「ああ、そのスパイスに苦労していたみたいだ」

「じゃあ、あとでたずねてみよう。もうすこし寝かせておいてあげましょう」

トマトさんは、スミレさんの肩かけがずれているのをなおしてあげました。

2 トワイエさんだけ散歩(さんぽ)に出る

もう二十分くらい、スミレさんは眠っています。

トマトさんがうれしそうにいいました。

「もしもこの木がほんとうにユメミザクラだったら、若いスミレさんが、昔の恋人のところへいってるってことになるわね」

「ええ、でも、恋人のところではないかもしれませんね。んん、夢のなかの自分がほんとうにあらわれる、と、いうことですから。昔、すんでいたところとか、友だちのところとか……」

「まあ、トワイエさん、恋人のところに決まっているわよ」

「どうして、決まっているんです？」

トワイエさんにたずねられて、トマトさんはスミレさんを指さしました。

「ほら、しあわせそうな顔をしてるじゃない」

「なるほど。あ、でも、友だちと会っても、しあわせそうな顔には、その、なりませんかね」

「いいえ、この顔は、恋人」

トマトさんが自信たっぷりにいったとき、ギーコさんがスミレさんの肩をかるくたたきました。

「あ、ギーコさん」トマトさんがあわててとめました。「なにもおこしてたずねてもらわなくても……」

ギーコさんは笑って首をふりました。

「いや、そろそろおこさないと、あとでしかられるんだ。せっかくたのしみにきてるのに、どうしておこしてくれないんだって」

ギーコさんは、もういちど、スミレさんの肩をたたきました。

「さあ、もうそろそろ……」

トマトさんは、こんどは笑いながら手をふってとめました。

「だめだめ、だめだったら」

「え？」

きょとんとしているギーコさんに、トマトさんは、クイズのこたえを教えるようにいいました。

「ギーコさん。ユメミザクラの花の下じゃ、名前をよばないと目がさめないのよ。いい？　よぶわよ。……ス、ミ、レ、さん！」

こんなにいいタイミングで目がさめるなんて、だれも思ってはいませんでした。名前をよばれたスミレさんが、ふっと目をさましたのです。

「まあ、おどろいた」

「こりゃすごいや」

「まさか、まさか、ですね」

みんなは大笑いをしました。スミレさんだけ、みんながなにを笑っているのかわかりません。まだぼうっとしているようです。

トマトさんが笑いながらたずねました。

「どうだったの？　昔の恋人は元気だった？」

「え？」

まだわかりません。

トワイエさんも笑いながらいいました。

「あの、スミレさんは、肩をたたかれても、目をさまさなかったのに、ですね、名前をよばれると、ええ、目がさめたんですよ。つまり、まるでほんとうに、ですよ、この木が……」

「ユメミザクラ……」

と、つづきをつぶやくようにいってスミレさんは、まだぼんやりとした目で、上にひろがる花の重なりをみました。

「そうなのよ」トマトさんがスミレさんのひざをかるくたたいていいました。「だから、昔の恋人と会えたのかってきいてるんじゃないの」

スミレさんはうなずきながら、みんなの顔をみまわしました。ようやく、みんながなぜ笑っていたのかわかったようです。

「ねえ、会(あ)えたの?」

重(かさ)ねてたずねるトマトさんに、スミレさんは真顔(まがお)でこたえました。

「もちろんよ」

みんなはもういちど笑(わら)い声をあげました。スミレさんも笑(わら)いました。

「じゃあ、スミレさんの昔(むかし)の恋人(こいびと)のために、かんぱいをしよう」

ポットさんがみんなのグラスに蜜酒(みつざけ)をついでまわり、笑(わら)い声のなかでかんぱいしました。

「しかし、夢(ゆめ)ってふしぎだと、その、思いませんか? ほら、はじめてのところなのに、そこがよくしっているところだと思って、ふるまっているとか。それから、あの、しらないひとなのに、友(とも)だちのようにしているとか、ええ」

スミレさんは、トワイエさんに話(はな)しかけられて、うなずきました。

「逆(ぎゃく)に、しっているひとなのに、はじめて会(あ)ったつもりで話(はな)しているとか、ね」

そのあとしばらく夢(ゆめ)の話(はなし)がつづきました。

「夢って、目がさめたあとで、ああすればよかった、こうすればよかったなんて思うんだよな。もしも夢のなかでだよ、これは夢だってわかっていれば、いままでにしたことのないような、どんな冒険だってできるんだけどなあ」

ポットさんがそういったとき、みんなは笑いながら、そのとおりだといいました。ただスミレさんだけは笑わずに、深くうなずきました。

夢の話をしていたから、というわけではないでしょうが、トワイエさんは大きなあくびをしてしまいました。

「あ……、こりゃあ、どうも失礼、きゅうに、その眠くなってしまいました。あの、ちょっと、眠けざましに、ええ、そこらあたりを散歩してきます」

よろりとたちあがるトワイエさんをみて、ポットさんは自分もあくびをかみころしながら、のこっているひとのグラスに、蜜酒をついでまわりました。

「じゃ、眠けざまひのトワイエさんに、か、か、かんぱーい」

斜面をゆらりとのぼっていくトワイエさんにむかって、ポットさんはグラスをあ

のない「かんぱい」の声があと三つつづきました。眠くなってきたのはトワイエさんだけではなかったのです。みんなひっつきそうな目をしています。ギーコさんが、細くなる目をむりにあけていいました。

「ポ、ポットさん」

「わたひは、ポ、ポットさんではなく、ポットさんでふ」

「わかってまふ、このお酒、もひかひたら、へんに、ちよいのでは、ありまれんか……」

「いや、そんな、ころは……でもでふね……」

ポットさんとギーコさんが眠りこんだときには、トマトさんとスミレさんはもうぐっすり眠っていました。

3

スミレさんは覚(おぼ)えている

トワイエさんは、しっかりしない足つきで、くぼ地の斜面をのぼっていきました。歩けば眠けがとれるだろうと散歩に出たのですが、からだを動かすと、いよいよ頭がぼうっとしてきました。目をぱっちりあけようとするのですが、まゆがあがるだけです。

泳ぐようなかっこうで斜面をのぼりきったところに、黄色の花がかたまって咲いているのをみつけました。

——ああ、きれいだな、どんなにおいが、するのかな……

そう思って花に顔を近づけた、というところまでは覚えています。

気がつくと、目の前は黄色の花でいっぱいでした。花の前にころがっていたのです。青っぽくて甘いにおいがしています。眠ってしまったようです。すこしうとうとしたのか、ぐっすり眠りこんでいたのか、まるでわかりません。

とにかくおきあがって、服をはたきました。それから、みんなのところにもどることにしました。

するとみんなも、眠りこんでいたのです。たき火が完全に消えているところをみると、トワイエさんもほかの四人も、かなりの時間眠っていたのでしょう。

「ポットさん。ギーコさん。トマトさん。スミレさん」

名前をよぶと、みんなおきてきました。スミレさんだけ、目がさめるのにすこし時間がかかりました。名前をよぶと目覚める、これはもしかすると、ほんとうにユメミザクラなんじゃないか、とトワイエさんは、まだぼうっとしている頭で考えました。そこでたずねました。

「ねえ、みなさん、その、夢をみましたか？」

トマトさんはぷるぷると首をふりました。

「ぐっすりだよ」

と、ポットさんもあくびをしました。

ギーコさんは首をひねりました。

「みたかもしれんが、覚えてない」

ようやく目がさめたというふうのスミレさんは、ふしぎそうにみんなをみまわしました。そしてサクラの花をみあげ、さいごにトワイエさんをみました。

「あなたは、どこにいたの？」

「ぼくは、んん、いや、その、むこうで」トワイエさんは斜面のむこうを指さしました。「ええ、眠ってしまったらしいんです。ええ、ええ、その、黄色の、きれいな花がありましてね」

「黄色の花か……」

ポットさんは頭をぶるっとふりながらたちあがりました。

「じゃあぼくはそれをみにいってこよう。なんだかすわっていると、また眠ってしまいそうだ」

トマトさんとギーコさんも、眠けざましにつきあうことにしました。

「スミレさんは、その、眠けざましっていうのは、いらないんですか？」

スミレさんはゆっくり左右に首をふって、トワイエさんのグラスと自分のグラスに蜜酒をそそぎました。

「あ、それ、眠くなるんじゃ……？」

「いいのよ。おこしにきてくれるひとがいるから。おこしにきてくれるひとたちに、かんぱい」

「あ、はあ、ええ、かんぱい」

トワイエさんがぐっとのみほすのをみてから、スミレさんは、なめるようにすこしずつ蜜酒をのみました。

「ねえ、みんなは夢を覚えていないっていってたわね」

「え？　ああ、そう、覚えてないって……。でも、みていないのかも、ええ、しれませんね」

一枚ひらひらと舞い落ちる花びらを目で追いながら、スミレさんはつぶやきました。

「覚えてないのね……」

「スミレさんは、夢をみたんですか？　その、夢を、ん、覚えているんですか？」

「みた夢を覚えているかっていわれると……」

スミレさんは顔の前に飛んできた小さな羽虫を、グラスを持っていないほうの手でゆるやかに追いはらい、ひとつ息をついてからうなずきました。

「そう、覚えているわ」

「それは、その、どんな夢なんです？」

スミレさんはトワイエさんの質問がきこえなかったのか、別の話をはじめました。

「ねえ、トワイエさん、あのユメミザクラの話。年とった女が夢のなかで若い恋人になって、男に会いにいくわね」

「え？　ええ」

「あれは、どうしてなんでしょう」

「どうしてって……。それは、その、ええ、ユメミザクラの力、でしょう？」

「そうよ。でも、どうしてユメミザクラがその力を出したのかってことよ。年とった女が、昔の若い姿で男に会いたいとねがっていたから、ユメミザクラがその力を出したのかしら」

　ああ、そういう質問だったのかと、トワイエさんは首をふりながらすわりなおしました。

「あれは……、そう、それも、あるでしょうが、ほら、男が、昔の恋人のことをしきりに思い出す、と、そういうことが、はじめに語られていますね。それから考えると、昔の、その若い恋人の姿であらわれることを、ねがっていたのは、ええ、男のほうだったんじゃないでしょうか。ぼくは、そう思いますね、うん」

　トワイエさんがこたえると、スミレさんはうなずきました。

「そうよね」

「それが？　その、どうかしましたか？」

　たずねながらトワイエさんは、眠けがきゅうに強くなってきたのを感じました。

「なんでもないの」

スミレさんはそうこたえて、のこっていた蜜酒をのみほしました。そしてトワイエさんの目がとじかけているのをみて、すこし笑いました。

「ねえ、トワイエさん？」

「え？　ええ……」

「トワイエさんは、みた夢を覚えていられるかしら」

「……え……？」

トワイエさんがごろりと横になるのをみて、スミレさんも幹にもたれなおし、目をとじました。

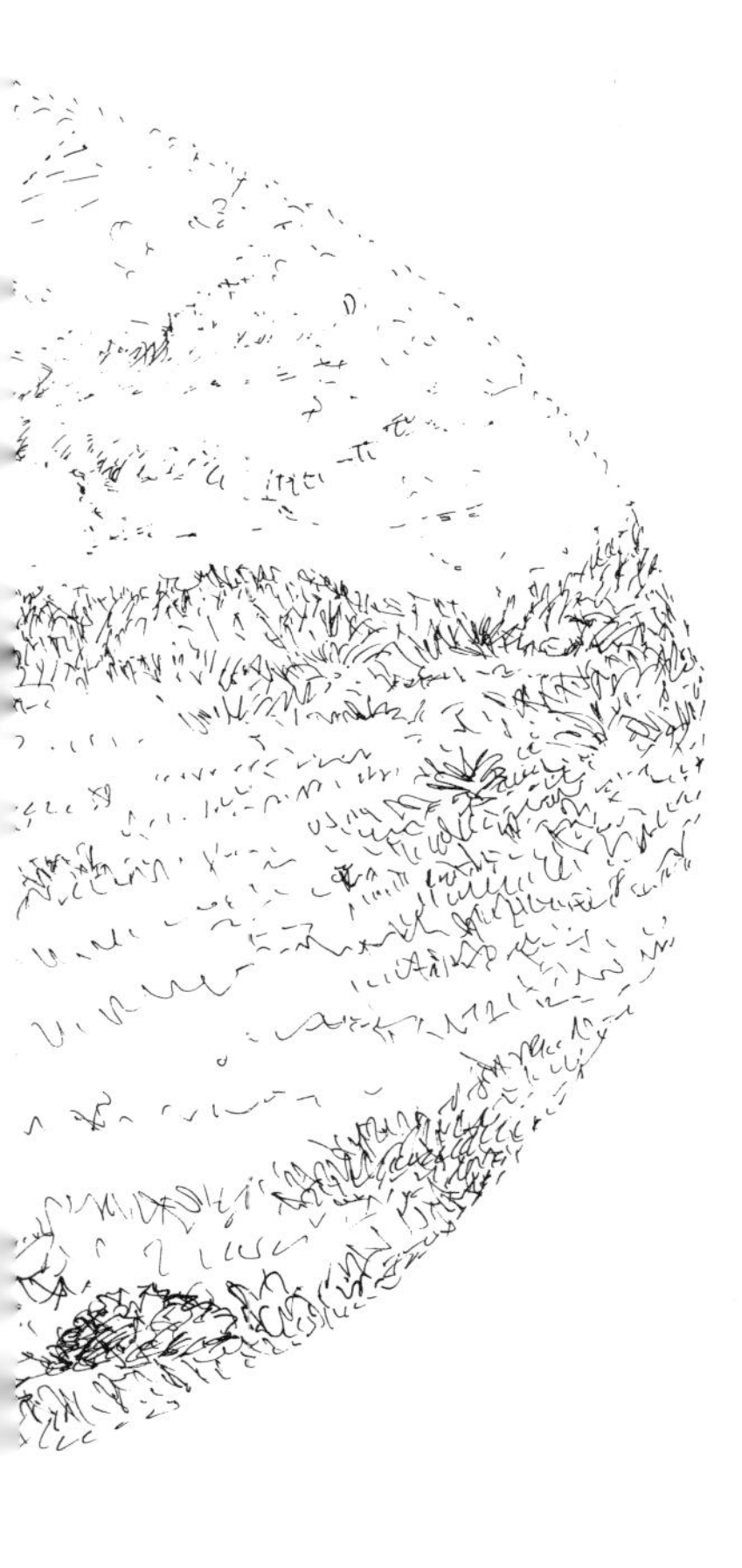

4　おこすひとがいない

「ああ、やっぱり眠っているよ」

眠けざましにいってきたにしてはまだまだはっきりしない目をしたポットさんたちがもどってきて、スミレさんとトワイエさんをおこしました。

目がさめたトワイエさんは、スミレさんがなにかいいたそうにトワイエさんをみているのに気がつきました。

「なにか……？　ええっと……」

「夢をみた？」

「夢？　いや、全然……」

「そう」

スミレさんはサクラの花をみあげて、ふうと息をはきだしました。

「ああ、あとひとくちぶんずつあるぞ」

ポットさんがびんを目の高さに持ちあげ、かるくゆすってみせました。

「さあ、あけてしまおう」

「しかし、この独特の濃い味わい、といいますか、その、よくできたお酒ですね」

グラスにそそがれた蜜酒をすこしすすってトワイエさんがつぶやくようにいうと、
ギーコさんがうなずきました。

「のんだ感じは、それほど強い酒とは思えないんだが」ギーコさんはごくりとのみほしました。「なにかひきこまれるように眠くなるな」

「眠り薬なんか、いれちゃいないぜ」

そういったあとで、ポットさんは、待てよ、と花をみあげました。

「ぼくはいれないけど、蜂ならいれたかもしれんな」

「それに、この甘さ……」

トマトさんが目を細めて最後の一滴をすすりました。

そのあたりで、みんなこっくりこっくりしはじめました。

ポットさんがひとりごとのようにつぶやきました。

「眠り薬……？　甘い……？　アマヨモギの花の蜜……？」

「だれか、おきているわよね……。みんな眠ってしまったら、だれが……おこすの……?」

スミレさんの声がとぎれると、あとはいびきばかりになってしまいました。

それから、サクラのあるくぼ地で動くものといえば、思い出したように一枚二枚と散る花びらと、のびていく影だけでした。

5 ポットさんがのこりの話を思い出す

とつぜん名前をよばれて目がさめました。みんなの前には、スキッパーがたっていました。

「やあ、スキッパー、きみか」

ポットさんは目をしょぼしょぼさせました。

「まあ、わたしったら、すっかり眠(ねむ)ってしまって……」

トマトさんは大きなあくびをつけくわえました。

「あ、いや、これは、その、ええ？　全員眠(ぜんいんねむ)っていたのですか。いや、よくみつけて、ええ、おこしてくれましたねえ、いやいや……」

トワイエさんは頭(あたま)をかきました。

ギーコさんはだまったまま、首(くび)を左右(さゆう)にふりました。

スミレさんは、

「あら、みつかっちゃった」

といったあと、ぼんやりしているようでした。

「しかし、スキッパー。きみはこんなところでなにをしているんだ?」

ポットさんにいわれて、スキッパーは自分がなにをしていたのか思い出したようでした。

「かくれんぼ。ぼく、いかなくちゃ」

そういって、「じゃ」と手をあげて走っていってしまいました。

「おこしてくれて、ありがとう」ポットさんがスキッパーの背に声をかけたあと、みんなに首をすくめてみせました。

「いや、ずっと眠っていたら、かぜをひいてしまうところだったよ」

「かぜなら、まだまし」

スミレさんがぽつりといいました。

「どういうこと?」

トマトさんがたずねました。

「スキッパーが名前をよんでおこしてくれなかったら、あたしたちここで死ぬまで眠っていたのよ」

「やめてよスミレさん」トマトさんが自分の腕をさすりました。「わたし、いま鳥肌がたったわ」

「かくれんぼ、か……」

ポットさんが、話を変えるようにいいました。

「ぼくは、こどものころ、かくれんぼが好きだったんだよ」

「それで、得意だったんでしょ」

スミレさんにいわれて、ポットさんは目を丸くしました。

「そうなんだよ！……でも、よくわかるね。どうしてぼくのこどものころのことがわかるんだろ。ね、スミレさん、どうしてそう思ったの？」

そのとき、遠くでスキッパーの声がきこえて、みんな顔をみあわせました。「こうさん」といったようです。

「ね、スミレさん、どうして……」

なにか考えこんでしまったようなスミレさんをみて、ポットさんはたずねるのをやめました。

またきこえました。「まいった」といっています。

「相手は、きっと、湖のふたご、でしょうね」

トワイエさんは、ささやき声でいいました。まるで、遠いスキッパーの声のじゃまにならないように、気をつかっているみたいでした。

スミレさんが、ゆっくりたちあがりました。みんなが、どうしたのという顔でスミレさんをみました。

「スキッパーに、もう帰りなさいっていってくる。早く帰らないと暗くなってしまうわ」

「あ、そういうことなら、ぼくが」

ポットさんがたちあがろうとするのを、スミレさんはとめました。

「あたしがいかなきゃ、だめなの」

「どうして……？」

ポットさんがたずねました。スミレさんはすこし歩いてから、ふりかえりました。

「あたしだけが、覚えているから」

スミレさんが斜面をのぼっていくのを、四人はぽかんとみおくりました。

「なにを覚えてるっていうんでしょう」

トマトさんがつぶやきました。それからないしょ話をするようにギーコさんにたずねました。

「ねえ、スミレさんってこういうことを、すすんでするようなひとだった？」

ギーコさんが首をひねっていると、ポットさんが小声でいいました。

「いま、ぼくのことをとめたとき、スミレさん、ずいぶんしんけんな顔をしていたよ。なんというか、泣きだしそうな……」

「あの、スミレさん、自分がいかなきゃだめだって、その、いいましたよね。あれは、いったい……」

スキッパーの声がきこえて、トワイエさんはことばを切りました。なんといったのか、よくわかりませんでした。「ウサギ」ときこえたようにも思えます。もういちどきこえました。たしかに「ウサギ」といっています。よんでいるようです。

「ウサギ……と、かくれんぼをしていたのかな」

ポットさんが真顔でいうと、トワイエさんが笑って首をふりました。

「まさか。いえ、これは、ふたごがですね、ほら、そういう名前を自分に、ええ、つけたんだと思いますね」

「なるほど。ぼくはまたスキッパーが、ウサギにばかされているのかと思ったよ」

ポットさんは肩をすくめて、たちあがりました。

「さて、こどもはスミレさんにまかせて、こちらもかたづけはじめますか」

すっかりかたづけ終わりました。たき火のしまつもたしかめました。四人は荷物を持って、さっきスミレさんがのぼった斜面をのぼっていきました。のぼりきったところで、もどってきたスミレさんに会いました。

「あれ？　スキッパーは、いっしょに帰らないのかい？」

ポットさんがたずねると、スミレさんは首をふりました。

「ひとりで帰ったわ」

スミレさんは、くぼ地の底からはえる大きなサクラの木を、もういちどながめました。四人もいっしょにながめました。うす暗くなりかけた背景のなかで、サクラの花だけはまだ光をあびてかがやいているようにみえました。

「ユメミザクラ、ですか……？」

トワイエさんが、だれにということもなく、たずねるようにいいました。スミレさんはゆっくりうなずきました。

「ユメミザクラよ」

「まだいってる……」

トマトさんが肩をすくめました。

「思い出した！」

ポットさんがとつぜん叫んで、トマトさんがびくっとしました。

「おどかさないでよ」

「ごめん、ごめん。ぼくのきいていたユメミザクラの話は、もうすこしあったんだ。それをいま思い出したんだよ」

「どんな、その、話ですか？」

トワイエさんが興味深そうにたずねました。

「うん。例の年とった女が目覚めるとね、ほら、ひとに夢をみさせてほんとうにあらわれさせるなんてことをしたものだから、ユメミザクラとしてもすごい力を使ってしまったわけだ。で、年とった女が目覚めるとだね、はらはらはらって全部の花が散っちゃうんだよ。で、もう二度とその木には花が咲かなかったんだって話。この話を、たったいま思い出したんだ」

「ユメミザクラ……」

スミレさんが、もういちどいいました。

「え？」

ほかの四人がふりかえりました。

すべての音が消(き)えたようでした。

かぞえきれないサクラの花が、かぞえきれない花びらになって、空中(くうちゅう)をうめつくして、うめつくして、散(ち)って、散(ち)って、散(ち)っていくところでした。

岡田 淳（おかだ・じゅん）
1947 年兵庫県に生まれる。神戸大学教育学部美術科を卒業後、
38 年間小学校の図工教師をつとめる。
1979 年『ムンジャクンジュは毛虫じゃない』で作家デビュー。
その後、『放課後の時間割』（1981 年日本児童文学者協会新人賞）
『雨やどりはすべり台の下で』（1984 年産経児童出版文化賞）
『学校ウサギをつかまえろ』（1987 年日本児童文学者協会賞）
『扉のむこうの物語』（1988 年赤い鳥文学賞）
『星モグラサンジの伝説』（1991 年産経児童出版文化賞推薦）
『こそあどの森の物語』（１～３の３作品で 1995 年野間児童文芸賞、
1998 年国際アンデルセン賞オナーリスト選定）
『願いのかなうまがり角』（2013 年産経児童出版文化賞フジテレビ賞）
など数多くの受賞作を生みだしている。
他に『ようこそ、おまけの時間に』『二分間の冒険』『びりっかすの神さま』『選ばなかった冒険』『竜退治の騎士になる方法』『きかせたがりやの魔女』『森の石と空飛ぶ船』、絵本『ネコとクラリネットふき』『ヤマダさんの庭』、マンガ集『プロフェッサーＰの研究室』『人類やりなおし装置』、エッセイ集『図工準備室の窓から』などがある。

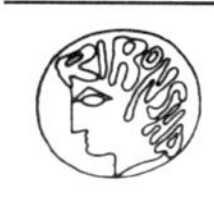

こそあどの森の物語④
ユメミザクラの木の下で
NDC913
A5判 22cm 208p
1998年12月 初版
ISBN4-652-00614-4

作者 岡田 淳
発行者 鈴木博喜
発行所 株式会社 理論社
〒101-0062 東京都千代田区神田駿河台2-5
電話 営業 03-6264-8890
編集 03-6264-8891
URL https://www.rironsha.com

2025年2月第25刷発行

装幀 はた こうしろう
編集 松田素子

岡田　淳の本

「こそあどの森の物語」　●野間児童文芸賞　●国際アンデルセン賞オナーリスト

〜どこにあるかわからない“こそあどの森”は、すてきなひとたちが住むふしぎな森〜

①ふしぎな木の実の料理法
スキッパーのもとに届いた固い固い“ポアポア”の実。その料理法は…。

②まよなかの魔女の秘密
あらしのよく朝、スキッパーは森のおくで珍種のフクロウをつかまえました。

③森のなかの海賊船
むかし、こそあどの森に海賊がいた？　かくされた宝の見つけかたは…。

④ユメミザクラの木の下で
スキッパーが森で会った友だちが、あそぶうちにいなくなってしまいました。

⑤ミュージカルスパイス
伝説の草カタカズラ。それをのんだ人はみな陽気に歌いはじめるのです…。

⑥はじまりの樹の神話　●うつのみやこども賞
ふしぎなキツネに導かれ少女を助けたスキッパー。森に太古の時間がきます…。

⑦だれかののぞむもの
こそあどの人たちに、バーバさんから「フー」についての手紙が届きました。

⑧ぬまばあさんのうた
湖の対岸のなぞの光。確かめに行ったスキッパーとふたごが見つけたものは？

⑨あかりの木の魔法
こそあどの湖に恐竜を探しにやって来た学者のイツカ。相棒はカワウソ…？

⑩霧の森となぞの声
ふしぎな歌声に導かれ森の奥へ。声にひきこまれ穴に落ちたスキッパー…。

⑪水の精とふしぎなカヌー
るすの部屋にだれかいる…？　川を流れて来た小さなカヌーの持ち主は…？

⑫水の森の秘密
森じゅうが水びたしに…原因を調べに行ったスキッパーたちが会ったのは…？

Another Story

こそあどの森のおとなたちが子どもだったころ　●産経児童出版文化賞大賞
ポットさんたちが、子どものころの写真を見せながら語る、とっておきの話。

Other Stories

こそあどの森のないしょの時間
こそあどの森のひみつの場所
森のひとが胸の中に秘めている大切なできごと……それぞれのないしょの物語。

扉のむこうの物語　●赤い鳥文学賞
学校の倉庫から行也が迷いこんだ世界は、空間も時間もねじれていました…。

星モグラ　サンジの伝説　●産経児童出版文化賞推薦
人間のことばをしゃべるモグラが語る、空をとび水にもぐる英雄サンジの物語。